회귀 경찰의 리셋 라이프

The Reset Life

회귀 경찰의 리셋 라이프 13

초판 1쇄 발행 2022년 8월 12일

지은이 | 한길
발행인 | 신현호
편집장 | 이호준
편집 | 송영규 최종건 정재웅 양동훈 곽원호 조정범 강준석 최성화
편집디자인 | 한방울
영업 | 김민원

펴낸곳 | ㈜ 디앤씨미디어
등록 | 2002년 4월 25일 제20-260호
주소 | 서울시 구로구 디지털로 26길 111 JnK디지털타워 503호
전화 | 02-333-2513(대표)
팩시밀리 | 02-333-2514
E-mail | papy_dnc@dncmedia.co.kr
블로그 | blog.naver.com/gnpdl7

ISBN 979-11-364-3593-4 04810
ISBN 979-11-364-2581-2 (SET)

Papyrus Modern Fantasy
한길 현대 판타지 장편소설
회귀경찰의
리셋 라이프
13
PAPYRUS
파피루스

1장. 미꾸라지(2)

미꾸라지(2)

인천 외곽에 위치한 공장에 혀를 차는 소리가 울린다.
"쯧! 늦었군."
노리던 공장이 어제 본청 수사팀의 급습을 받아 죄다 끌려갔다고 한다.
그뿐만이 아니다. 그보다 앞서 자신의 가구공장에 왔다고 한다. 그저께 전화를 받자마자 곧바로 공장을 옮긴 게 천만다행이었다.
'만약 미적거렸다면?'
지금쯤 본청 취조실에 있을 터였다.
"이 기술자들이야 중국으로 송환만 되지 않는다면……."
"지들도 머리가 있다면 알아서 단순 가담으로 진술할 테니 길어도 반년 안에 품에 안으실 수 있을 겁니다."
박 사장은 옆에 서 있는 사십대 중년인, 조직의 법률

자문을 맡아 주고 있는 변호사를 바라보곤 고개를 끄덕였다.
"그럼 현 상황에서 남은 건 모레 인천여객터미널을 통해 들어올 마약 운반책들이군. 문제는 이놈들도 마크를 당할 수 있다는 건데……."
'이걸 고개를 들이밀어? 들이밀지 마?'
박 사장은 심각한 고민에 휩싸였다.
"그냥 본청에 계시는 분에게 알아봐 달라고 물어보면 안 됩니까, 사장님?"
박 사장은 변호사를 어이없다는 듯 응시했다.
"이게 드라마야? 그렇게 해서 알아보면? 들키지 않을 것 같아?"
가구 공장까지 찾아온 본청 수사팀이다. 이미 취조를 통해 위조지폐가 대량으로 찍혔음을 확신을 하고 있는 것이다.
그런 상황에서 전후 사정을 알아본다? 배후가 자기가 배후라고 실토하는 꼴밖에 안 된다.
그러고도 들키지 않는 건 영화나 드라마이기에 가능한 일이었다.
"그래서 그 조선족 놈 취조 때도 취조실에 들어가지 못한 거잖아, 이 멍청한 새끼야!"
"죄, 죄송합니다!"
'후……. 더 똘똘한 놈을 들이든가 해야지, 원.'
그 어렵다는 사법시험을 통과했다고는 믿기지 않을 만

큼 멍청한 소리를 할 때가 있었다. 이럴 때면 괜히 변호사 사무실을 개업하고 2년 만에 말아먹은 게 아니라는 생각이 들었다.

박 사장은 혀를 차며 사무실 옆 공장 안으로 들어갔고, 곧장 공장 한구석에서 부하들에게 둘러싸여 있는 사내를 향해 다가갔다.

"나, 나오셨슴까."

몸 여기저기에 깁스와 붕대, 반창고를 붙인 채 힘겹게 일어나 인사하는 조선족.

박 사장은 그의 머리를 쓰다듬으며 온화하게 웃었다.

"그래, 이렇게 협조하니까 얼마나 좋아. 몸 편하고, 마음 편하고. 좀만 더 일찍 협조했으면 이렇게까지 안 다쳤잖아."

"죄, 죄송함다."

"그래서 진척은 좀 있고?"

박 사장은 컴퓨터 앞에 앉아 있는 마른 체구의 사십대 사내를 향해 물었다.

조선족 사내가 결국 협조하기로 하자 급히 잡아 온 위조범. 그림 위조를 전문으로 하는 놈인데, 그도 몰골이 말이 아니었다.

"조, 종이 문제만 해결되면 언제든지 뽑을 수 있습니다."

"프린터로?"

"인쇄 기계가 있으면 더 완벽할 겁니다."

"좋군."

아주 좋다.

일부는 소유한 하우스에서 세탁을 하면 되고, 환치기를 전문적으로 하는 놈들에게 팔아도 된다. 기계로 확인하지 않는 이상 구분을 할 수 없는 지폐라면 그들도 환장을 할 터.

'그럼 돈방석에 앉는 거지.'

공장 한구석에 쌓여 있는 위조지폐만 처분해도 족히 30억은 받을 터.

"흐흐흐."

부푼 꿈에 젖어 가던 그 순간이었다.

쿵쿵쿵!

닫혀 있는 공장 문이 두드려지자 놀란 박 사장은 낯빛을 굳혔다.

'짭새?'

아니, 그럴 리가 없다. 뒤를 봐주는 이가 가구 공장 근처 CCTV나 블랙박스를 모두 수거해서 폐기했다고 했다.

그렇다면 이 야심한 시간에 올 사람은 한 명뿐이다.

"씁, 말이나 하고 찾아오지."

"모시겠습니다, 큰형님."

"됐다."

바로 앞인데 모시고 자시고 할 게 있겠는가.

손을 저으며 입구로 걸어간 박 사장은 문을 열었다.

드르륵!

"어서……."

문이 열리자마자 고개를 숙이던 박 사장은 눈을 껌뻑였다.

"……누구?"

올 거라고 예상한 놈이 아니라 웬 덩치 큰 놈과 작은 놈이 있다. 오택수와 함께 온 종혁은 경찰공무원증을 보여 주며 머쓱하게 웃었다.

"아이고, 수고하십니다. 경찰입니다."

흠칫!

"겨, 경찰?"

순간 박 사장의 머릿속에 오만 가지 생각이 떠오른다.

종혁은 그런 그의 눈을 보며 말을 이었다.

"이렇게 늦은 시각에 죄송합니다. 아주 큰 범죄를 저지르고 이쪽 방면으로 도주한 차량이 있어서 말입니다. 협조 좀 해 주실 수 있을까요?"

"협조?"

배신, 추적 등 오만 가지 생각이 가라앉은 박 사장은 한숨을 쉬며 손을 저었다.

"됐다. 그냥 가라."

"에이. 그냥 협조해 주시면 안 될까요?"

"가라고. 안 갈 거면 지금 민원 넣어 주고."

움찔!

낯빛을 굳힌 종혁과 오택수는 어쩔 수 없다는 듯 입맛을 다셨다.

"늦은 시간에 죄송했습니다. 아, 맞아."

아차 한 종혁은 돌리던 몸을 멈춰 세웠다.

"참고로 이쪽 방면으로 도망친 새끼가 지폐를 위조한 악질이거든요. 무려 50억이랍니다, 50억."

움찔!

이번엔 박 사장의 몸이 굳는다.

그에 종혁은 의아하다는 듯 고개를 모로 기울였다.

"그게 인천 나에 4886 흰색 탑차인데…… 어머나, 씨발? 그게 쪼 있네?"

"푸하핫!"

이미 깡패 따위가 민원을 언급할 때부터 들썩이던 오택수는 빵 터져 버렸고, 종혁도 큭큭 웃음을 흘리며 박 사장에게 다가섰다.

"야, 난 이 공장 안에 5천 원권 위조지폐 50억이 있다는 것에 내 전 재산과 모가지를 걸까 하는데, 넌 뭘 걸래?"

"……푸후."

우르르르루루루!

"형님!"

"큰형님!"

공장 안쪽에서 튀어나온 덩치들이 우르르 몰려들었고, 종혁과 오택수의 표정은 점차 굳어 갔다.

그런 둘의 뒤를 본 박 사장은 이를 드러냈다. 이곳을 어떻게 찾았는지 모르지만, 이 두 놈만 묻으면 되는 일이었다.

"둘이 왔냐? 꼴랑?"

종혁은 살의가 번들거리는 박 사장의 눈을 보며 피식

웃었다.

"나오세요!"

"……?!"

카라라랑! 드드드득!

분명 방금까지 아무도 없던 입구에서 나타난 일단의 무리가 금속 배트나 쇠파이프, 각목 따위로 바닥을 긁으며 다가온다.

"어이구."

"아따, 쪼그려 앉아 있느라 도가니 나가는 줄 알았네."

간편신고관리과 특별수사팀 2팀과 3팀 전원.

"둘이서 왔냐고? 아니, 대략 스물이야."

종혁은 딱딱하게 굳는 박 사장의 가슴을 쿡 찔렀다.

"내가 머저리냐? 몇 놈이 있는지 모르는데 둘만 오게? 뭐하냐? 꿇어."

"씨발……! 죽여!"

"으아아아아아!"

종혁은 달려드는 덩치들과 물러나는 박 사장을 한심하다는 듯 보았다.

"이 새끼도 븅신이네."

일단 뒤로 몸을 날리고 그 말을 했으면 얼마나 좋았을까. 이렇게 선후가 바뀌면 잡아 달라는 것밖에 되지 않았다.

"그래도 땡큐."

느려진 시간 속 성큼 발을 크게 내디딘 종혁은 두 발자

국도 채 물러나지 못한 박 사장의 머리채를 콱 휘감았다.

"나도 이런 거 좋아해."

종혁은 커져 가는 박 사장의 눈을 향해 주먹을 후려쳤다.

쩌어억!

"우와아아!"

빠악! 쾅!

주먹과 피가 날아다니는 공장.

"히익!"

하얗게 질린 변호사는 종혁과 눈이 마주치자 방금 전 자신이 나온 사무실의 문을 걸어 잠그며 핸드폰을 들었다.

경찰이 난입하자마자 이곳으로 숨은 위조범과 조선족은 그런 변호사를 빤히 응시했다.

"제발…… 제바알……. 아, 팀장님!"

—이 미친 새끼가! 내가 먼저 연락하지 말랬지!

"지, 지금 경찰들이—!"

콰앙!

굉음이 터지며 흔들리는 문을 본 변호사의 낯빛이 파랗게 굳는다. 그 순간 다시 굉음이 터지며 문짝이 날아갔다.

"히이익!"

"뭐야, 지원군 부르냐?"

성큼성큼 다가온 종혁은 변호사의 핸드폰을 낚아챘다.

“뭐하냐. 얼른 와라. 너희 큰형님 죽는다.”

……뚝.

통화가 끊긴 핸드폰을 묘한 눈빛으로 바라보던 종혁은 핸드폰을 수습하며 변호사의 턱을 향해 손바닥을 날렸다.

쩌억!

“흥냐!”

괴상한 소리를 낸 변호사는 무너졌고, 종혁은 조선족과 위조범을 봤다.

“너흰 또 뭐야?”

조선족과 위조범은 양팔을 번쩍 들었다.

“사, 살려 주세요!”

“저, 저희도 잡혀 온 검다! 흐어엉!”

종혁은 갑자기 울음을 터트리는 둘을 보며 당황했다.

* * *

“여깁니다! 여기 위조지폐입니다!”

“뭣?!”

우르르 몰려간 형사들은 창고 한구석에 쌓인 박스 안을 가득 채운 5천 원권에 어퍼컷을 날렸다.

“그렇지!”

“아자아!”

무려 50억 상당의 위조지폐다.

그걸 특별수사팀이 독식한 것이다.

물론 가장 큰 지분은 종혁의 특별수사 1팀의 차지일 테지만, 그걸 제외하고도 상여금과 연말 보너스는 따 놓은 당상이었다.

어쩌면 꼽사리로 특진까지 노려볼 수 있었다.

종혁에게 수사비 지원을 받는 걸로 오늘 검거를 협조한 윤선빈 팀장은 어쩔 줄 몰라 했다.

"야, 더 뒤져 봐!"

"그렇지이! 여기요! 여기에 위조지폐를 제작하려는 증거가 있습니다!"

"여기 짝퉁 가방도…… 헉! 마, 마약도 있습니다!"

"우와아아아아!"

박 사장의 공장에 축제가 열렸다.

물론 공장의 주인은 결코 바라지 않았던 축제였다.

"워메. 노다지네. 노다지여. 이 육시랄 것."

김판호는 종혁에게 얻어맞아 정신을 잃고 차가운 바닥을 꿈틀거리는 박 사장의 뒤통수를 후려치고 종혁에게 다가갔다.

"뭐혀? 같이 안 즐겨?"

"아뇨. 올 사람들이 있어서요."

"올 사람들?"

삐요오오옹!

"어, 오네요. 저기."

"……경찰을 기다렸다고?"

뭔가를 이상함을 감지한 김판호는 낯빛을 굳혔고, 이내 곧 공장 안으로 경찰차들이 쏟아졌다.

차자작!

"꼼짝 마!"

종혁은 차에서 내리자마자 총부터 꺼내 드는 그들을 향해, 굳은 얼굴로 내리는 반장을 향해 다가갔다.

그와 함께 총구들도 종혁을 따라 움직인다.

"또 뵙습니다, 반장님?"

박 사장의 가구 공장 진입을 막아섰던 그 반장.

"너, 너?"

경악한 반장의 눈이 데구루루 굴러간다.

그러다 얼굴을 험악하게 구기며 다가온다.

"남의 구역에서 이게 무슨 짓이야! 본청이면 이래도 돼? 비켜!"

"왜? 안 비키면 쏘기라도 하시게?"

종혁은 여차하면 방아쇠를 당길 듯 긴장감이 가득한 경찰들을 슥 훑고는 반장을 쳐다봤다.

뜨끔!

"뭐, 뭐야?! 이 자식이 그래도 식구라고 봐주니까! 야! 정말 해보자는 거야?! 뭐해, 새끼들아! 본청 식구분들 정중히 모셔!"

"예!"

정곡을 찔린 듯 방방 뛰는 반장과 눈빛을 흉흉히 빛내며 다가오는 형사들.

여차하면 모두 뺏길 것 같은 일촉즉발의 상황이 벌어지자 종혁은 핸드폰을 들었다.

"최 경감입니다. 놈들 검거 때문에 인천에 왔는데 인천 식구분들과 마찰이 생겨서 말입니다. 예. 예."

종혁은 씩 웃으며 반장에게 핸드폰을 내밀었다.

"받아 보셔요."

"흥. 안 되니까 상급자한테 일러바친 거냐? 그래도 여긴 너희 본청이 아니라 인천……."

–나 이택문 경찰청장인데.

"……꺽! 추, 충성–!"

반장은 기절초풍했다.

"예? 아, 아니 여긴 저희 관할…… 아, 아닙니다! 뒤를 봐주다니요! 예, 알겠습니다. 충성!"

통화를 종료한 반장은 짜증과 초조, 체념 등 여러 가지 감정이 섞인 복잡한 눈으로 종혁을 노려봤고, 종혁은 실실 웃었다.

"뒤에 계시는 분께 못 들으신 것 같은데, 이거 위조지폐 사건입니다. 이번 신권 발행을 앞당긴."

쿠웅!

'시, 신권 발행을 앞당긴 위조지폐 사건?'

하지만 그게 문제가 아니다.

"……뒤에 누가 있다니. 그게 무슨 말이지? 아, 계장님을 말하는 건가?"

종혁은 숨이 막히는 게 뻔히 보이는데도 뻔뻔하게 오리

발을 내미는 그에게 얼굴을 들이밀며 낮게 속삭였다.

"그럼 왜 일선 파출소의 출동이 이렇게 늦었을까? 왜, 연락받고 아차 했어? 그래서 관할도 아닌데 이렇게 달려온 거야? 우르르 몰려오면 걔들 뺏을 수 있을 것 같아서?"

눈앞의 반장은 인천경찰청이 아니라 경찰서의 반장이다. 그것도 이 지역 관할이 아닌.

움찔!

종혁은 부릅뜬 눈을 마주쳐 오는 반장을 향해 이를 드러냈다.

"야, 견찰. 내가 그 모가지 지킬 수 있는 방법을 알려줄게. 지금 돌아가서 사직서 써. 그러면 지금까지 번 건 지킬 수 있을 거야."

"너, 너 이 새끼……."

종혁은 말문이 막힌 반장의 어깨를 두드리곤 이쪽의 눈치를 보는 경찰들을 향해 경찰 공무원증을 들어 보여 줬다.

"오시느라 수고 많으셨지만, 이 현장은 저희 본청 간편신고관리과 특별수사팀이 통제하겠습니다. 그냥 단순히 저희가 범죄자를 검거하던 상황이었거든요."

"어, 그러면……."

종혁은 멍하니 중얼거리는 어떤 경찰을 향해 싱긋 웃어 줬다.

"예. 이대로 돌아가시면 됩니다. 수고하셨습니다."

종혁은 반장을 툭 쳤다.

"반장님, 팀원들 기다리는데 뭐해요? 어이구, 노려보는 것 좀 봐라. 혹시 재들도?"

"큭! 돌아간다!"

잘 가라며 손을 흔든 종혁은 돌아섰고, 김판호가 어리둥절해하며 다가섰다.

"뭔 일이여?"

"그건 내일 되면 아세요."

"내일?"

의아했지만 그래도 뭔가 짐작이 가는 게 있는 김판호는 눈을 가늘게 뜨다 종혁의 양손에 들린 핸드폰을 보곤 고개를 모로 기울였다.

"그란디 그짝 건 뭐데? 핸드폰 하나 더 샀어?"

"아뇨, 선물 받았어요. 고맙게도."

정말 고마운 선물이었다.

지이잉! 지이잉!

"예, 과장님. 검거 끝났습니다. 증거도 모두 확보했고요. 하하, 축하드립니다."

아마 이번 검거에 가장 이득을 보는 건 바로 정용진 과장일 것이다. 이택문 경찰청장도 말이다.

"예? 아, 그래요?"

-그래요. 최 팀장, 정보국과 인사과 동기들이 말하길…….

방금 전 반장과 연관이 있는 인물.

그중 인천경찰청을 거쳐 본청으로 온 인물이 한 명 있다고 한다. 그리고 그 이름은 종혁도 아는 인물이었다.

'이 양반일 거라곤 생각 못했는데…….'

"그래. 이제 끝내자."

종혁의 입가에 나른한 미소가 맺혔다.

* * *

다음 날 아침, 본청이 뒤집혔다.

사라졌던 50억 상당의 위조지폐 전액 환수.

여차하면 이택문 경찰청장을 비롯해 여러 경찰 고위간부의 목을 날려 버릴 초대형 사건이 순식간에 끝난 것이다.

호기심을 주체하지 못한 경찰들이 종혁이 들어간 취조실로 모였다. 그중엔 경찰 이미지 마케팅팀의 주한빈 팀장도 있었다.

"어? 주 팀장도 왔어?"

"현재 최 팀장 때문에 말이 많잖습니까."

"아, 조선족? 그거 곧 오해라고 공표될 거잖아?"

"그래도 최 팀장이 조선족을 압박한 건 사실이죠."

간부들의 표정이 묘해진다.

'최 팀장과 알력이 있었다더니 진짜가 봐.'

'아직도 최 팀장이 남긴 그림자 때문에 부서를 장악 못했대.'

'진짜?'

'그것도 그건데 최 팀장이 오죽 잘했어? 뭐만 했다 하

면 고위 간부들이 어화둥둥 했잖아. 근데 지금 주 팀장은 어때? 욕만 먹잖아.'

'하긴 나도 요새 마케팅팀이 하는 거 좀 그렇더라. 경찰이 광대야?'

주한빈은 수군거리는 간부들의 모습에 낯빛을 굳히며 유리거울 너머의 취조실을 노려봤다.

'빌어먹을!'

박 사장과 종혁이 마주 앉아 있는 모습을 보니 심장이 벌렁거리고 눈앞이 아득해진다.

"그런데 이렇게 되면 최 팀장은 또 특진인가?"

"사건이 사건인데 그렇게 되지 않겠어?"

"이야, 1년에 계급이 하나씩 오르네. 이러다 내년엔 총경 되는 거 아니야?"

빠드득!

어쩌다 이렇게 됐을까. 주한빈은 당장이라도 달려가 박살 내고 싶은 마음을 누르느라 애써야 했다.

'괜찮아. 괜찮을 거다. 나와 연결된 증거는…….'

"뭐야. 일들 안 하나?"

"헛! 충성!"

이택문 경찰청장이 나타나자 모두 분분히 비켜선다.

"아직 시작 안 했나?"

"아직 최 팀장이 정리를 다……."

-이름 박호섭.

"시작합니다."

그들은 재빨리 유리거울 너머를 응시했다.

종혁은 입을 꾹 다물고 있는 박 사장을 보며 입을 열었다.

"이름 박호섭. 인천 상도파 두목. 나이는 46세. 오, 깡패 대가리치곤 좀 젊다? 능력 있는데?"

"……내가 아무리 범죄자라지만 예의를 지켜 주시오."

종혁은 진중한 그의 모습에 헛웃음을 터트렸다.

"야, 애꾸눈. 개소리하지 말고 묻는 말에나 답하세요."

종혁에게 눈을 얻어맞아 안대를 착용한 박 사장은 이를 악물며 종혁을 노려봤다.

"자, 당신에게 적용된 혐의가 범죄단체 조직에 폭행 사주, 금품 갈취, 협박, 탈세, 살인, 살인 교사……."

"증거가 없는 걸 있는 것처럼 말하지 마시오. 경찰이 이래도 됩니까?"

"야. 넌 조폭 두목인 것만으로도 무기징역이야. 알 만한 사람이 왜 이러지? 그리고 위조지폐에서 네 지문이 나오고, 컴퓨터에서 위조지폐…… 후, 아니다. 됐다. 어차피 상품권 이 지랄하겠지."

아니면 공장에 와 보니 그런 게 쌓여 있었다 발뺌을 할 것이다. 조금이라도 형을 덜 받기 위해선 이 모든 걸 우연이라고 주장해야 됐다.

움찔!

"됐고, 네 뒤에 있는 놈 누구야?"

"……무슨 말인지 모르겠소만."

"아, 그러셔? 내가 티엔쉔, 너랑 거래하던 천 사장이란 놈을 검거한 그날 인천의 가구 공장을 불 지르고 날라 버린 게 우연이다?"

"그렇소."

'어차피 그 자리에 장부는 없었다!'

박 사장 본인만 아는 비밀스런 장소에 숨겨 둔 뇌물 장부.

그것만 있으면 교도소에 들어가도 겨우 4, 5년이다.

종혁은 부리부리하게 노려보는 그의 모습에 다시 헛웃음을 터트리며 핸드폰을 던졌다.

"어디서 많이 보던 거지?"

"내 핸드폰이니까 당연히."

'흥. 아무리 전화번호부를 뒤져 봐라!'

어차피 저장된 이름은 죄다 다르다.

혹여 잡혀도 윗사람이나 관련된 사람이 엮이게 하지 않기 위해 저장된 이름을 달리하는 것. 그게 건달의 덕목이었다.

"그럼 이건?"

투욱!

박 사장은 테이블에 놓인 슬라이드폰에 고개를 모로 기울였다.

"너희 법률 자문을 맡고 있다던 변호사 놈의 핸드폰이야. 그런데 이 새끼가 어제 누군가에게 전화를 걸더라?

난 그게 네 뒤에 있는 놈이라고 생각하는데…….”

“흡!”

“어디 보자……. 아, 여기 있네. 많이 익숙한 이름이지?”

종혁은 통화목록 가장 상단에 박힌 이름을 보여 줬다.

“헉!”

“경마클럽 송미나 매니저. 이야, 이름 예쁘다.”

종혁은 크게 흔들리는 그를 빤히 노려보며 통화 버튼을 눌렀다.

뚜르르!

수신호가 갔다.

“오오오!”

유리거울 안쪽이 소란스러워진다.

“캬. 죽이네. 진짜 저런 친구가 내 밑에 와야 하는데.”

“쥐락펴락하는 솜씨가 아주……. 실력이 좋다, 좋다 하더니 저렇게 좋았어?”

“그런데 뒷배? 저 새끼 뒷배도 있었어?”

“조직원이 40명인데 없었을…….”

지이잉! 지이잉!

“응? 주 팀장, 전화 오는 거 아니에요?”

흠칫!

“……스팸입니다.”

“아, 그래요? 어? 뭐야? 왜 나오지? 지금 취조하다 말고 어디 가는 거야?”

“에이 씨! 클라이맥스에 끊는 게 어디 있어!”

쿵쿵쿵!

사람들은 갑자기 두드려지는 문에 고개를 모로 기울였고, 문을 열며 들어오는 종혁의 모습에 더 이해를 하지 못했다.

"어, 여길 왜……."

사람들의 눈에 의문이 가득 차올랐지만, 종혁은 오직 주한빈만 보며 다시 전화를 걸었다.

뚜르르! 뚜르르!

지이잉! 지이잉!

"……."

타이밍 좋게 다시 울리는 주한빈의 핸드폰에 이상함을 느낀 간부들이 거리를 벌린다.

종혁은 경악과 당황으로 얼어붙는 주한빈의 눈을 무심히 응시하며 다시 전화를 걸었다.

지이잉! 지이잉!

"뭐하세요? 제 전화 안 받으세요? 경마클럽 송미나 매니저님? 아참, 경찰 이미지 마케팅팀의 주한빈 팀장님이시죠. 이 미꾸라지 새끼야."

이딴 놈에게 팀을 뺏겨야 했던 종혁의 분노가 이제야 터져 나오기 시작했다.

* * *

하마터면 이택문 경찰청장의 목이 날아갈 뻔한 초대형

사건에 경찰 간부가 초를 치려고 했다.

분노한 이택문의 명령 아래 현장에서 검거된 주한빈 팀장은 곧바로 구속되었고, 뒷배가 사라짐을 깨달은 박 사장은 모든 걸 순순히 불 수밖에 없었다.

하지만 이제부터가 시작이었다.

박 사장과 주한빈의 관계, 박 사장의 범죄 증거와 뇌물 장부 확보, 일을 방해한 반장에 대한 감찰 등 할 일이 태산이었다.

그렇게 본청에 거대한 태풍이 몰아치는 한편, 크로스백을 두른 삼십대 기자 한 명이 가리봉동의 조선족 밀집 구역에 나타났다.

"싸요, 싸!"

"만두 좀 드시고 가십쇼!"

"비켜! 앞에 비키란 말임다!"

얼마 전 살벌한 사건이 있었는데도 떠들썩한 번화가의 풍경.

"더 이상 들어오시면 안 됩니다."

폴리스라인이 쳐진 사건 현장까지 둘러본 기자는 우범 지역 조선족들의 표정을 눈에 담으며 다시 번화가로 나왔다.

"흠."

뭔가 마음에 안 드는 듯 미간을 찌푸린 기자는 번화가에서 제일 손님이 많은 식당 안으로 들어갔다.

드르륵!

"껄껄껄!"

"真的吗(진짜야)?"

점심시간이라서 그런지 식당엔 술과 음식을 즐기며 시끄럽게 떠드는 조선족들이 테이블들을 가득 채우고 있었다.

힐끔 자신을 보고 다시 껄껄 웃는 그들의 모습에 기자의 미간은 더욱 좁아졌다.

그런 그에게 연복이 웃으며 다가왔다.

"어서 오십쇼! 이곳에 처음 오셨슴까?"

기자는 눈을 빛냈다.

"어떻게 알았지?"

"응? 처음 뵙는 분이니까 그럼다."

마치 드라마의 대사처럼 처음 보는 분이니 처음 보는 분이라고 말한 거란 듯 순박한 연복의 모습에 기자의 눈은 더욱 빛났다.

그때였다.

드르륵!

누군가 문을 열고 들어오자 손님들의 입을 꾹 다물며 노려본다. 그에 가게 안으로 들어오던 젊은 사내 3명은 주춤 물러섰다.

"뭐, 뭐이야!"

"뭐긴 뭐이야."

안쪽 테이블에서 일어난 덩치 큰 사내가 3명에게 다가와 이를 드러낸다.

"딱 보면 모르니. 버러지 새끼들을 쳐다보는 거잖니. 배때기를 쑤시면 창자가 얼마나 흘러나올까, 모가지를 돌리면 얼마나 돌아갈까 견적을 내는 거다."

정말 그러고 싶다.

이놈들 때문에 한국인에게 괜한 편견을 가지게 되고, 그 때문에 괜히 더 억압당하고 괜히 정기적으로 단속을 당하고, 시달리고, 보지 않아도 될 손해를 봤다고 생각하니 뒷목이 뜨거워 견딜 수가 없다.

"뭐, 뭐야? 니 죽고 싶니!"

쩍!

흉기를 숨긴 허리춤으로 손을 가져가던 사내는 얼굴을 맞고 바깥으로 튕겨져 나갔다.

한 방에 정신을 잃고 꿈틀거리는 사내.

덩치 큰 사내는 얼어붙은 사내의 일행을 내려다봤다.

"왜? 니들도 죽고 싶니?"

"……가, 같은 동포끼리 왜 이럼까!"

"같은 동포? 하!"

덩치 큰 사내는 말을 꺼낸 놈의 멱살을 잡아챘다.

"어떻게 분탕질이나 치는 버러지 따위랑 우리가 같은 동포니. 한 번만 더 그딴 소리 지껄였다간 정말 모가지 돌아간다. 알겠니?"

섬뜩!

"무, 무슨……!"

그들은 갑자기 자신들을 배척하고 위협하는 주민들의

모습에 당황했다. 불과 며칠 전까지만 해도 그러지 않았던 주민들이 말이다.

"왜, 우리가 모를 줄 알았니? 너희가, 그리고 이 동네에서 사고 치는 놈들이 저 우범 지역 빡빡이랑 그렇고 그런 사인 거? 우리가 병신이니?"

"헉! 그, 그걸 어떻게!"

"한 번만 더 이 동네에 얼씬거리면 너힌 우리 손에 죽는다."

"그래! 꺼져라!"

"됐다. 지금 그냥 대가리에 젓가락 꽂자. 이리 와라!"

"히, 히이익!"

그들은 다급히 도망쳤고, 식당 안 손님들은 와하하 웃음을 터트렸다. 그러다 먼저 나선 덩치 큰 사내를 향해 박수를 쳐 줬다.

"크, 크흥! 시, 식사나 마저 드십쇼!"

"와하하하하!"

얼굴이 시뻘게진 사내는 허둥지둥 자리에 앉았고, 그 모습을 빤히 보던 기자는 아직도 옆에 서서 사내를 선망어린 눈으로 보는 연복을 불렀다.

"아. 죄송함다. 뭘 시키겠슴까. 저희 집은 다 맛있는데, 저희 조선족 음식 처음 드시는 분은 이 소탕을 추천함다."

"그래. 그거 주고, 혹시 힘든 점이나 불편한 점은 없니?"

"예?"

연복이 고개를 모로 기울이자 기자는 명함을 내밀었다.

"난 이런 사람인데, 요새 경찰이 계속 조선족을 억압하고 강압하잖아. 우리 한국인들도 동포인 너희를 안 좋게 보고. 넌 잘 모르겠지만, 요새 시류가……."

나긋나긋하게 말하던 기자의 입이 갑자기 조용해진 식당에 다물어진다. 젓가락과 그릇을 내려놓으며 가만히 그를 보는 손님들.

'뭐, 뭐야!'

"연복아, 그분 누구니?"

"기자님이람다."

"아, 기자…… 그러니."

"그래, 저치들이 있었지."

한국인과 조선족 사이를 음해하고 분란을 조장하는 데에는 언론도 큰 몫을 했다.

분위기가 흉흉해지기 시작할 때, 주방에서 나온 이 식당의 사장이 기자 앞에 앉았다.

"왜, 왜……."

"기자 양반, 뭘 노리고 오셨는지 모르겠지만 우린 한국에서 잘 살려고 노력하는 순박한 사람들임다. 삶이 팍팍하고 죽기 싫어 고향을 등져야 했던 불쌍한 사람들이란 말임다."

"그, 그러니 조선족 동포들의 이런 현실을 세상에 알려야 하지 않겠습니까, 어르신."

“내 소학교도 못 나와 배운 거 없는 무지렁이지만, 이거 하나는 암다. 로마에 가면 로마의 법을 따르라.”

잠시 말을 멈춘 노인은 마침 물을 건네는 연복에게 고맙다 푸근히 웃어 주곤 말을 이었다.

“우린 한국인이 아니라 한국인이 되고자 한국을 찾은 손님임다. 그런데 어찌 주인보고 안방을 내놓으라 하겠슴까.”

“그건 잘못된 생각입니다, 어르신! 주인이고 손님이라뇨!”

“또 얼마 전 어떤 형사님이 이리 말했슴다. 민주주의 사회에서 자유를 누리기 위해선 제일 먼저 지켜야 하는 게 상식이다. 그리고 도덕이다. 그런데 우린 그러지 못했슴다. 내 일이 아니라고, 왜 사고 치는 소수만 보고 우릴 억압하냐고 원망만 했슴다.”

그게 누군가의 충동질임도 모른 채 7살 꼬맹이처럼 떼만 썼다. 뭔가를 주지도 않은 채 바라기만 했다.

“태생이 다른 수많은 물줄기가 모여 거대한 황하를 이루는 것처럼 언젠가 하나가 될 수 있게, 정말 말 그대로의 동포가 될 수 있도록 우리도 노력하겠슴다. 그러니 부디 이 불쌍한 사람들 당신들 욕심에 충동질하지 마십쇼.”

“…….”

기자뿐만 아니라 손님들도 숙연해진다.

사장은 가게 한쪽 구석에 달린 CCTV를 가리켰다.

“녹음도 되는 거니 괜히 이 사람 말 곡해해서 쓰지 마오.”

"……쯧!"

부끄러움에 자리를 박차고 일어난 기자는 식당을 빠져 나갔고, 사장은 손님들을 보며 어색하게 웃었다.

"늙은 놈이 식사 분위기를 망쳤슴다. 곧 서비스를 내올 테니 드시고 계십쇼."

짝짝짝짝짝짝짝!

"와아!"

"최곰다, 사장님!"

사장은 후다닥 주방으로 들어갔고, 훈훈한 웃음이 번졌다.

"아, 연복이 넌 어찌 된 거이니? 다음 주에 관둔다며?"

지난 1년여간 연복을 봐 온 다른 손님들도 깜짝 놀란다.

"예. 그렇게 됐슴다."

아쉽지만 여기서 일하는 것도 이번 주가 마지막이다.

다음 주부터는 행복의 쉼터 재단의 지원을 받으며 학교에 다니게 될 것이다.

수술을 한 아버지도 순조롭게 회복 중이고 행복의 쉼터 재단 덕분에 벽지와 장판, 가구 가전 등 집이 새집처럼 바뀌어서 모든 게 안심이었다. 평생이 이번 같았으면 했다.

"그때 오신 형사님이 크게 도움을 주셨슴다. 덕분에 행복의 쉼터 재단에서도 우리 조선족 애들을 선별해 지원해 준담다! 그리고 저희 사는 곳에 소학교도 지어 준담다!"

아직 이들은 모르지만, 티엔쉔의 공장 부지에 소학교가

들어설 예정이다.

정확히는 이들의 딱함을 알아차린 권희수가 그 소학교와 PY 게임센터를 랜드마크 삼아 우범 지역 거리를 정화시키고 발전시킬 예정이었다. 그에 종혁도 돈을 보태기로 했다.

"뭐이라니?! 그게 진짜니?!"

"진짬다!"

"와아아아!"

연복은 양팔을 번쩍 들며 좋아하는 사람들에 잠시 식당을 나와 맑은 하늘을 바라봤다.

"정말 고맙슴다, 형사님."

그리고 작은 소망이 있다면 다른 지역의 동포들도 자신들처럼 진실을 알아차리고 이렇게 행복해졌으면 싶었다. 자신들을 본받아 마음을 고쳐먹었으면 싶었다.

"착하게 살면 이렇게 복이 오는 거니까……."

"연복아!"

"예! 들어감다!"

연복은 얼른 식당 안으로 들어갔다.

드르륵, 탁!

식당의 문이 닫혔다.

* * *

웅성웅성.

수많은 사람들이 오가는 인천여객선터미널.

떠나려는 일단의 무리와 배웅하려는 사람들의 분위기가 심상치 않다. 죄다 검은 양복을 입은 두 무리의 사람들.

조동철을 옆에 둔 리동수가 종혁을 보며 이를 갈았다.

"내 이 은혜는 결코 잊지 않갔어."

이번 일로 인해 공화국이 입은 피해가 크다.

사로잡은 북파 공작원 일부 송환.

명분이야 곧 있을 제13차 남북이산가족상봉의 원활한 성사를 위함이지만, 결국 공화국이 고개를 숙인 거다.

위조지폐. 이게 컸다.

'그때 이 아새끼가 통수를 친 게 위조지폐 때문이었다니!'

결코 좋은 말이 나올 수가 없었다.

"에이, 우리 사이에 무슨. 됐어요. 넣어 둬요."

"사양하디 말라. 내 진짜 갚고 싶어서 그런다."

"……에휴. 그럼 물질적인 건 됐고, 편지나 써 줘요. 아, 선선한 곳에 가면 못 쓰려나?"

"이 간나 새끼가 끝까지……."

"조장 동지."

"후우. 그래, 이별이 길면 좋디 않디. 다음에 또 보자우."

리동수는 이런 피해를 입으면서까지 확보한 조동철을 절대 놓칠 수 없다는 듯 손수 뒷목을 꽉 잡은 채 몸을 돌렸고, 종혁은 멀어지는 그들을 향해 손을 크게 흔들었다.

"도착하면 편지 써요! 꼭이에요!"

"……뭐하네! 날래 안 가네?!"

"휘유."

손등으로 이마를 훔치던 종혁은 묘한 눈으로 쳐다보는 국정원 요원들의 모습에 고개를 모로 기울였다.

"왜요?"

"아하하. 아닙니다, 최 교관."

"흐음."

눈을 가늘게 떴던 종혁은 어깨를 으쓱였다.

"그럼 그 방탄복과 비비빅, 중국 공항에서 수령할 수 있게 부탁드릴게요."

"정말 넘겨주시려고요? 괜찮겠습니까? 이거 걸리면 나중 출셋길에……."

"어? 말을 이상하게 하시네. 그거 국정원이 선물로 주는 거 아니었어요? 이번 일부 송환에 대한 비공식적 감사의 의미로?"

"……그렇죠."

"거봐요. 그럼 수고하십쇼. 충성."

"끙. 어디 가십니까? 서울 가시는 길이면 함께 가시죠."

종혁은 여객선터미널 입국 게이트 쪽을 가리켰다.

"아직 형사로서 할 일이 아직 남아 있어서요."

"예?"

의아해하는 그들을 뒤로한 종혁은 걸음을 재촉했다.

그렇게 도착한 곳엔 구속복을 입은 채 옴짝달싹 못하는 티엔쉔과 양탁락, 그리고 그들을 데려온 오택수와 최재수가 있었다.

"읍! 으으읍!"

"쯧. 몸 불편하면 나오지 말라니까."

굳이 오겠다며 휠체어를 타고 온 최재수.

"와야죠. 이번에 한 일도 없는데."

최재수가 이런 말을 할 줄 몰랐던 종혁과 오택수는 살짝 놀랐다가 이내 풀썩 웃었다.

팀원이 이렇게 근성을 보이는데 싫어할 사람은 없었다.

종혁과 오택수는 최재수를 대견하다는 듯 봤다.

"지금 그 눈빛들은 뭐예요. 꼭 7살 꼬마가 무사히 재롱잔치를……."

"어? 야, 왔다."

종혁은 7명의 조선족을 끌고 오는 중국 공안을 향해 다가갔다.

마치 줄줄이 비엔나처럼 수갑과 포승줄에 엮인 채 목발이나 방석을 마치 보물처럼 끌어안고 있는 허름한 옷차림의 조선족들.

"오시느라 수고 많으셨습니다. 연락드린 대한민국 경찰청 간편신고관리과 특별수사 1팀의 팀장 최종혁 경감입니다. 이놈들입니까?"

티엔쉔이 중국으로 보낸 마약 운반책들.

종혁은 티엔쉔과 양탁락을 중국 공안에 넘기는 조건으로 이들 조선족 7명을 넘겨받기로 했다. 그래서 이렇게 상황이 정리될 때까지 이들 7명의 신변을 중국 공안에서 확보했던 것이다.

"검사해 보면 알 겁니다. 그보다 흑룡파 티엔쉔은 어디 있습니까? 저놈들입니까?"

얼굴까지 구속복을 입은 티엔쉔.

종혁은 오택수에게 고개를 끄덕였고, 그는 티엔쉔의 얼굴 구속복을 풀어 줬다가 다시 채웠다.

고개를 끄덕인 중국 공안은 함께 온 동료 공안에게 고개를 끄덕였고, 조선족 7명의 신변은 오택수에게 인계됐다.

티엔쉔과 양탁락도 중국 공안에게 인계됐다.

"읍! 으으읍!"

그제야 파랗게 질려 발버둥 치는 티엔쉔과 양탁락.

종혁은 그들을 힐끔 보곤 입을 열었다.

"그 두 놈은 어떻게 됩니까? 사형?"

"그런 물음을 보고 당신들 나라말로 '오지랖'이라고 했던가요?"

넌 알 필요가 없단 소리였다.

"쩝."

피식 웃은 중국 공안들은 입국 게이트로 걸음을 옮겼고, 종혁은 머리를 긁었다.

"하여튼 중국 공안 새끼들은 정이 안 간다니까. 아주 씨발 지들이 왕이야."

"그 정도야?"

"혹여 중국에 놀러 가더라도 공안이랑은 절대 얽히지 마세요. 한국 경찰이고 자시고 씨알도 안 먹히는 새끼들이니까. 자, 그럼?"

종혁은 근처에 있는 조선족이 끌어안고 있는 목발을 낚아채 바닥을 후려쳤다.

콰자작!

거친 소리와 함께 비산하는 목발의 파편과 함께 흩어지는 은색 덩어리들. 곱게 포장한 마약이었다.

종혁은 하얗게 질리는 조선족들을 주욱 훑어봤다.

"지금부터 바깥까지 뛰어간다. 실시."

"시, 실시!"

조선족들이 허둥지둥 뜀박질을 시작하자 종혁은 오택수와 최재수를 보며 싱긋 웃었다.

"자, 우리도 이만 갑시다."

이놈들에 대한 조서를 쓰려면 오늘 하루도 부족했다.

종혁은 발을 떼며 핸드폰을 꺼내 들었다.

"예, 과장님. 지금 막 공안에게 마약까지 인계받았고, 본청으로 복귀할 겁니다. 뭐 필요한 거 없습니까? …… 예?"

―대림과 안산도 맡아 보는 건 어떻겠냐고 말했습니다. 이번에 아주 잘해 주셨으니까요.

"에이, 농담도. ……농담이시죠? 과장님? 과장님?"
종혁의 목소리가 다급해졌다.

* * *

사상 최악의 위조지폐 사건! 무려 50억!
조기에 일망타진한 경찰! 장하다, 경찰! 멋지다, 경찰!
사건을 해결한 수사팀은 본청 지하 수사팀?
간편신고관리과 특별수사팀이란 무엇인가?
박노형 대통령! 훈장 전달!
대통령, 구권 5천 원은 이제 은행에서만 교환할 수 있다!
동대문 남대문 일대 이미테이션 뿌리 뽑혀…….
왜 짝퉁을 입는가. 한국인의 명품사랑…….
경찰. 바다이야기에 메스를…….

요 며칠 사이에 일어난 일에 전국이 떠들썩하다.
그건 경찰도 마찬가지였다.
웅성웅성.
경찰 정복을 입은 간부들이 가득 들어차 있는 대강당. 단상에 오른 종혁이 어깨에 견장을 달아 주는 이택문을 향해 거수경례를 한다.
"감사합니다, 충성!"
"아직 순환 보직이 끝나지도 않았는데 경정이라……."

빠르다. 그렇지 않아도 내년에 예약된 경정 진급조차도 빨라 말이 나오고 있는데, 이건 가히 상상을 초월할 정도로 빠르다.

하지만 대통령이 훈장까지 수여한 마당에 진급을 시키지 않을 수도 없었다.

“이젠 자네도 팀장이란 직급에 맞는 계급이 됐군. 소감이 어떻지?”

“……글쎄요.”

경정.

회귀 전, 마지막 직급이었던 경정이었다.

나이 마흔이 넘어서야 겨우 달았던 경정이란 직급을 고작 26살에 달게 됐다. 뭔가 허탈하면서도 묘하고 싱숭생숭했다.

경감으로 진급했을 때와는 또 달랐다.

그리고…….

“이제부터가 시작이란 생각밖에 안 듭니다.”

이제야 출발선에 선 느낌이다.

회귀 전 경정이었어도 꼬리조차 잡기 힘들었던 놈들.

여기서 멈출 수는 없다. 경정을 넘어 총경, 총경을 넘어 경찰청장까지 쭉 달려야 했다.

지금은 그 생각밖에 안 들었다.

그런 종혁의 야망이 전해진 것인지 이택문의 입가에 만족스런 미소가 걸린다.

“그래. TO가 있을 때 부지런히 오르도록 해.”

꽤 의미심장한 말에 눈을 마주친 종혁은 오늘도 뚱한 얼굴의 이택문을 보며 싱긋 웃었다.

"열심히 하겠습니다. 충성."

고개를 끄덕인 이택문은 옆에 서 있는 오택수에게 다가갔다.

"충성! 경감 오택수!"

"충성! 경장 최재수!"

오택수와 최재수, 그리고 2팀과 3팀은 포상과 훈장을 받으며 이번 수여식은 마무리되었다.

이번에 승진을 하게 된 정용진 과장이 등을 떠밀어 어쩔 수 없이 나서게 된 종혁은 이쪽을 보며 소유욕의 불길을 두 눈으로 토해 내는 고위 간부들을 향해 크게 외쳤다.

"전체 차렷! 경찰청장님과 간부님들께 경례!"

"충-성!"

경정 최종혁.

정말 이제부터가 시작이었다.

2장. 불공정거래

불공정거래

경정 진급으로 휴가를 받은 다음 날, 종혁은 아침부터 나탈리아와 통화를 했다.

"중국에 있는 놈들의 성형이 끝났다고요?"

정확히는 성형 후 얼굴에 붓기가 다 빠진 상태였다.

–네. 지금 사진 보내 드릴게요.

종혁은 특별한 메일로 도착한 사진들을 출력했다.

"새끼들."

성형이라고 제법 훈훈하게 뜯어고쳤다.

그러면서도 돌아서면 잘 생각나지 않을 평범한 외모.

–현재는 칭따오에 새로운 모처를 구해 모여 있는 중이에요.

'청도?'

칭따오 맥주로 유명한 중국 청도.

'잠깐, 조희구가 튄 곳이 청도 아니었나?'

회귀 전, 도주한 조희구가 밀항을 한 곳이 바로 중국 청도다. 그리고 의구심이 가득했던 사망 소식을 전한 곳도.

이 기가 막힌 우연에 종혁의 표정이 딱딱하게 굳었다.

"그 모처의 소유주는요?"

―월세예요. 소유주 쪽도 깨끗하고요.

"……쯧. 역시 틈을 안 주네. JH메디컬은요?"

―현재 가입자가 3만 명을 돌파했어요. 분기 설명회에 참석해 본 요원 말로는 왜 이자에게 사기를 당하는지 알 것 같다더라고요.

"하하."

'그놈 아가리가 환상의 아가리긴 하지.'

그리고 이 시기쯤 그런 환상의 아가리가 하나 더 있었다.

조희구보다 한발 앞서 한국을 뒤집어 놨던 다단계 기업. 그리고 주가 조작 사기의 새 지평을 연 기업, JU그룹.

'그래, 이놈들도 있었지.'

지금쯤 개미들을 한참 불리고 있을 놈들을 떠올린 종혁은 고개를 끄덕였다.

"알겠습니다. 조금만 더 수고해 주세요."

―후훗. 수고는요. 우리 러시아의 일이기도 한걸요. 그리고 다시 말하지만, 진급 축하드려요. 그리고 언제 한번 러시아에 들러요. 당신의 다른 친구가 기다리니까요.

러시아의 2인자, 메드베제프를 뜻함을 알아차린 종혁은 눈을 빛냈다.

"네. 꼭 그러도록 할게요. 들어가세요."

통화를 종료한 종혁은 사진들을 들고 몸을 일으켜 방 한구석에 있는 화이트보드 앞에 섰다.

딱! 딱!

화이트보드에 놈들의 사진이 붙었다.

"조희구…… 철량리 종교법인……."

가만히 화이트보드를 응시하던 종혁은 씩 미소를 지었다.

"크군."

왜인지 한 번에 싹 다 낚아챌 수 있을 것 같은 느낌 아닌 느낌.

그렇게만 된다면 놈들 조직에 엄청난 타격을 줄 터. 윗선을 알아낼 확률도 높았다.

'윗선이 아니라 놈들과 관계된 놈들만 찾아도 만족할 만한 성과지.'

"좋군. 좋아."

분위기가 절로 흉흉해진 종혁은 사진들을 수거해 책상 서랍에 집어넣고 자물쇠로 잠갔다.

똑똑똑.

"음? 네, 들어오세요."

문이 열리며 순희의 고개가 빼꼼 내밀어지자 종혁의 표정이 삽시간에 온화해진다.

"응. 무슨 일이야, 우리 순희."

다가간 종혁이 순희를 안아 들자 꺄 소리를 지른 순희

가 그 맑고 큰 눈으로 똘망똘망 쳐다본다.

"이모가 과일 드시래요, 오빠."

"잉? 엄마가? 출근…… 아, 오늘 일요일이지 참. 알았어, 나가자. 슈우웅!"

"꺄악!"

종혁은 순희를 비행기 태우듯 번쩍 들며 거실로 향했다.

그리고…….

"아들. 선 한번 볼래?"

"……잉?"

* * *

-지금 만나는 여자친구 없지? 그럼 앞으로 귀찮지 않게 한 번만 나가. 만나서 지지든 볶든 네 맘대로 해도 상관없으니까.

소위 강남 사모님들이 자주 다니는 강남 모처의 피부숍과 헤어숍을 이용하는 고정숙. 잔뜩 피곤한 얼굴로 '앞으로'라는 말을 강조하는데 나오지 않을 수가 없었다.

"대체 얼마나 시달린 건지……."

그게 아니었다면 어머니 고정숙이 그런 말을 할 리가 없었다.

고작 이 나이에 맞선을 하게 될 줄은 몰라서 피식 웃은 종혁은 달그락 얼음이 부딪치는 커피잔을 들어 입에 가져갔다.

'그나저나 맞선도 오랜만이네.'

회귀 전, 배경이 되어 줄 사람이 있을까 해서 삼십대 때 몇 번 해 본 적이 있는 맞선. 결국 태생의 한계는 어쩔 수 없다는 것만 깨닫게 된 경험이었다.

그리고 그때도 이렇게 호텔의 커피숍이었다.

또각또각!

고개를 돌린 종혁은 긴 생머리에 투피스로 단아하게 치장을 한 이십대 중반의 여성이 다가오자 몸을 일으켰다.

"만나서 반갑습니다. 최종혁입니다."

사람이 일어섰는데 마치 전봇대가 일어선 것 같자 깜짝 놀랐던 여성은 제대로 꾸민 종혁의 얼굴을 보곤 잠시 멍해졌다.

"하늘 씨?"

"아, 안녕하세요. 이하늘이에요!"

외모도 외모지만, 종혁에게 풍기는 거친 남자의 향기에 정신을 차리지 못한다.

"그런데 전 아직 명함이 없어서……."

"아, 괜찮습니다."

대유그룹의 차녀, 이하늘.

맞선을 보는데 그런 것도 모르고 나올까.

'그런데 대유그룹은 어디 있는 회사야? 기업명이 희한하게도 낯이 익은데…… 아!'

"앉으시죠."

아차 한 종혁은 맞은편을 가리켰고, 이하늘은 고개를 끄덕이며 의자에 앉았다. 그런 둘에게 종업원이 다가와 메뉴판을 내밀었다.

"전 있으니 괜찮습니다."

"……에스프레소 하나 주세요."

그렇게 주문을 마친 여성은 종혁을 위아래로 훑었다.

"경찰이시라고요?"

'꼴에 시계는 좋은 걸 찬 것 같은데…….'

다른 건 죄다 모르는 브랜드다.

'아니, 브랜드는 맞긴 한 걸까?'

"예. 현재 경정 계급이고, 수사팀의 팀장입니다. 하늘 씨는 미술 전공을 하신다고요?"

"정확히는 미술사 전공이에요. 세계 미술의 역사랄까요?"

"오, 어려운 걸 배우시네요."

"딱히…… 아, 죄송하지만 화장실 좀."

"아, 예."

종혁은 대답조차 다 듣지 않고 일어나는 그녀를 멍하니 응시하다 피식 웃었다.

"똥이 나왔네."

하지만 억지로 나온 맞선이니 오히려 이래 주면 좋았다.

종혁은 느긋이 커피잔을 들었다.

그 순간이었다.

지이잉!

"어? 얘가 왜?"

에바 미진 킴, 김미진.

드바 로마노프의 상무이자 종혁과는 오랜 지인인 그녀였다.

문자를 확인한 종혁은 깜짝 놀랐다.

"한국에 왔다고?"

쏴아아아!

—애 뭐야. 완전 내 스타일이다—!

"아, 몰라. 건물 몇 채 가진 졸부 아들이라던데 패션 센스가 완전 꽝이야. 어디서 그런 이상한 걸 입고 왔는지 모르겠다니까."

—몸은 어떤데? 말랐어? 근육 빵빵? 아님 평범?

"몸도 예술이긴 하더라. 하지만 아웃."

—왜? 이 정도면 데리고 놀 만한 수준 아니야?

"됐거든?"

코웃음을 치는 순간이었다.

또각또각.

하늘은 옆에 선 여성을 힐끔 보곤 잠시 입을 다물었다.

'저건?'

이번에 나온 샤넬 신상백이다. 출시되자마자 매진이 되어서 실물을 구경조차 하지 못한 한정판 핸드백을 자신보다 더 어려 보이는 여성이 들고 있다.

괜스레 짜증이 난 하늘은 목소리를 높였다.

"됐거든? 요새 아무리 펫이 유행한다지만, 그런 수준

떨어지는 애를 만나야겠니? 소개팅도 아닌 맞선에? 진짜 엄마는 왜 이런 자리를 만든 거야. 아, 진짜 짜증 나."

-하긴 대유그룹 차녀가 그런 공무원을 만날 이유가 없지. 그런데 이 사람 이름이 뭐야?

"최종혁 팀장…… 뭐야, 너 혹시 관심 있니?"

-몸이 죽인다면서?

"미친년. 됐고, 오늘 저녁에 어때? 시간 있어?"

-나야 시간 많지. 거기서 봐?

"응. 1시간 뒤에 봐. 그래도 1시간은 있어야 할 테니까."

하늘은 수도꼭지를 잠그며 화장실을 나섰고, 옆에 남겨진 여성은 고개를 모로 기울였다.

"최종혁? 오빠?"

설마 하며 밖으로 나온 그녀는 화들짝 놀랐다.

'정말이잖아? 정말 맞선을 보러 나왔다고?'

"흐응…… 마음에 안 드네."

그녀의 눈이 차갑게 가라앉기 시작했다.

"어머, 상무님. 중국 총괄지사의 상무가 되셨다는 소식은 들었어요. 늦었지만 축하드립니다."

"아니에요. 늦기는요. 선물도 보내 주셨잖아요."

"후후. 머무시는 객실은 마음에 드시던가요?"

고개를 돌린 미진은 다가온 단아하고 당찬 인상의 삼십대 미녀를 향해 고개를 살짝 숙였다.

"이 호텔은 언제나 마음에 들죠. 그런데 제가 바빠서요. 그럼 이만."

미진은 핸드백을 움켜쥐며 커피숍 안으로 향했고, 남겨진 삼십대 여성은 의아해하다가 이내 곧 벌어지는 상황에 눈을 빛냈다.

'어머머?'

* * *

'뭐야, 이 남자.'

하늘은 화장실을 다녀오자마자 커피만 홀짝이고 있는, 아예 이쪽은 신경도 안 쓰는 종혁의 모습에 미간을 좁혔다.

물론 자신이 먼저 차려고 했지만, 심드렁한 모습을 보니 괜히 부아가 치밀었다.

짜증이 난 그녀는 입을 열었다.

"이봐요!"

"음?"

"지금 이게 무슨 매너인가요?"

"……아, 죄송합니다. 그냥 시간만 보내다 가자, 뭐 이렇게 암묵적으로 합의된 줄 알았습니다. 뭐 궁금한 거 있으십니까?"

"뭐라고요?! 이 남자가……."

"오랜만이에요, 최종혁 팀장님."

획 고개를 돌린 하늘은 방금 전 화장실에서 마주쳤던 여성을 발견하고 심장이 철렁 내려앉는 걸 느꼈다.

'미, 미친!'

얼굴이 새빨개지는 하늘을 무시한 종혁은 미진을 보며 눈을 껌뻑였다.

'네가 여기 왜 있어?'

방금 전 한국에 도착했다고 문자를 한 애가 왜 이 호텔에 있을까. 서울의 많고 많은 호텔 중 이 호텔에 말이다.

하지만 놀람은 거기서 끝이 아니었다.

쪽! 쪽!

종혁의 양 볼에 닿은 친애의 인사.

"잘 지냈나요?"

마치 오랜만에 만나는 사업 관계자를 대하는 듯한 말투.

눈을 가늘게 떴던 종혁은 이내 피식 웃으며 일어났다.

"반갑습니다, 에바 미진 킴 상무님. 늦었지만 중국 총괄지사의 상무가 되신 걸 축하드립니다."

"호호, 아니에요. 그런데 이쪽 분은 혹시?"

"아니요. 오늘 잠시 일이 있어 만나게 된 분입니다. 러시아분이신 에바 씨는 잘 모르는 개념의 미팅일까요."

"흐음. 그런가요?"

하늘의 위아래를 훑은 미진은 가소롭다는 듯 피식 웃었고, 하늘은 눈을 부릅떴다.

그때였다. 커피숍 입구가 웅성거리자 고개를 돌린 종혁은 살짝 놀랐다.

'저 여성은?'

이 호텔의 주인이자, 훗날 이 호텔을 세계에서도 통하

게 만드는 삼전그룹 김희건 회장의 사랑을 독차지하는 여장부였다.

대한민국에서 가장 성공한 여성 중 한 명, 김부현.

"오늘도 저희 호텔을 찾아 주셔서 감사합니다. 혹시 불편하신 점은 없으신가요?"

공손히 허리를 굽히는 그녀의 모습에 종혁은 눈을 빛냈다.

"아닙니다. 언제나 즐겁게 이용하고 있습니다. 반갑습니다, 최종혁입니다. 늦었지만 결혼 축하드립니다."

"유도 영웅께서 저희 호텔을 찾아 주셔서 영광이에요. 다시 인사드릴게요. 이 호텔의 기획부장 김부현이에요."

'어머, 옷 입는 센스 좀 봐.'

이탈리아 장인이 한 땀, 한 땀 세심하게 제작한 슈트로 캐주얼함을 살린 수제 명품이었다. 젊은 사람들의 맞선 자리엔 딱 알맞은 옷차림이라고 할 수 있었다.

그런 그녀의 빠른 캐치를 눈치챘지만, 호감을 보내오기에 종혁은 모른 척 놀라는 표정을 지었다.

"그걸 아직까지 기억하십니까?"

"혹시 기억 안 나세요? 제 오빠가 2000년 올림픽 때 CF 모델을 제의한 적이 있는데……."

이 일 때문에 종혁을 기억하고 있다. 그녀 역시도 호텔 홍보 모델로 종혁을 선택하려고 했으니 말이다.

개천에서 난 용으로 충분히 부와 명예를 얻을 수 있음에도 경찰을 택함으로써 정의와 정지의 상징이 된 종혁.

거기에 경찰대학교에 수석으로 입학할 정도로 머리까지 명석하니 당시 웬만한 기업들은 종혁을 욕심낼 수밖에 없었다.

“음. 그런 일이 있었던 것 같기도 하고……. 죄송합니다. 제가 형사를 지망했는지라 얼굴 노출을 삼가야 했거든요.”

“아아, 그러셨구나. 그런데 그런 것치고는 TV에…….”

“하하.”

“후후. 그런데 이쪽 분은?”

하늘은 의아해하는 김부현의 시선에 자존심이 팍 상했다.

‘내가 여길 얼마나 자주 왔는데!’

“호호. 기억 안 나세요? 저 대유그룹의 차녀인데.”

“어멋! 죄송합니다! 너무 오랜만에 오셨네요. 그동안 잘 계셨죠?”

“네. 걱정해 주신 덕분에 잘 있었어요. 그보다 저희 엄마가…….”

“흠. 하늘 씨, 상황도 이렇게 됐으니 그만 헤어지도록 할까요? 아니면 제가 자리를 옮기겠습니다.”

“어머, 아니에요. 제가 중요한 자리를 방해했나 보네요. 그럼 전 이만. 좋은 시간 되세요.”

그렇게 고개를 꾸벅 숙인 김부현은 옆자리의 손님들에게로 향했고, 졸지에 지붕 쳐다본 개가 되어 버린 하늘은 어떻게 할 거냐는 종혁의 눈빛에 이를 악물었다.

……드륵!

“별꼴이야!”

핸드백을 꼬아 쥔 그녀는 커피숍을 빠르게 빠져나갔고, 어깨를 으쓱인 종혁은 미진을 봤다.

따악!

“아악! 오빠!”

“혼날래? 이게 어디서 입술을 함부로…… 콱 씨.”

“자기도 좋았으면서…… 폭력 반대.”

피식 웃은 종혁은 커피숍 바깥을 가리켰다.

“방 잡았지? 거기서 이야기하자.”

여기서 이야기하고 싶지만, 뒤통수에 꽂히는 시선이 제법 따갑다. 누군지 알아보지 않아도 알 것 같았다.

같은 걸 느낀 미진은 고개를 끄덕였다.

둘은 그대로 미진이 잡은 룸으로 향했고, 김부현은 그런 둘을 보며 눈을 초롱초롱 빛냈다.

‘어머, 어머! 에바 상무의 애인이 최종혁 씨였어?’

결단코 단 한 번도 생각하지 못한 러브스토리에 그녀의 몸이 들썩였다.

* * *

미진이 잡은 스위트룸에 들어온 종혁은 능숙하게 커피를 타서 내밀었다.

“호오. 거기에 커피가 있는 건 어떻게 알았을까?”

"또 까분다. 그보다 중국은 좀 어때?"

비즈니스에 대한 이야기가 나오자 미진의 표정이 돌변한다.

"어떻긴요. 예전 드바 로마노프 초창기의 러시아처럼 누구도 캐지 않은 금광이죠."

현재 중국에 오픈한 매장이 무려 900여 개다.

러시아 매장의 2분의 1.

그럼에도 중국 진출 이전 드바 로마노프 패션의 총 매출 80퍼센트 가까이를 따라잡았다.

패션에 대한 욕망이 러시아보다 더 컸다.

"900개라고? 이렇게 빨리? 쉽지 않았을 텐데?"

종혁은 미진의 추진력에 혀를 내두를 수밖에 없었다.

"그거야 뭐……."

미진은 의뭉스레 웃었다. 자세한 내용은 형사인 종혁에게 밝힐 수 없는 일이었다.

그걸 알아차린 종혁도 굳이 묻지 않기로 했다.

"그럼 후발 주자는?"

"……훗. 웃긴 방식을 취하더라고요."

"음?"

"직원을 빼 가더라고요."

종혁은 고개를 모로 기울였다. 비즈니스 세계에서 헤드헌팅이야 당연한 일이었기 때문이다.

"관리자급 직원이 아니라 매장 직원을요."

"……뭐?"

"그렇게 매장 직원을 빼 가서 회사를 차렸는데, 제대로 돌아갈 리가 있겠어요?"

"바보들인가……."

"그래서 지금은 중간 관리자급을 노리는 것 같더라고요."

"흠. 괜찮겠어?"

"오빠도 알잖아요. 저희 드바 로마노프의 무기를."

종혁은 고개를 끄덕였다.

싸고 막 입을 수 있다는 걸 장점으로 내세우기에 상대적으로 원단의 질이 떨어지는 SPA 브랜드.

그러나 드바 로마노프는 다르다. 전문적인 디자이너가 디자인을 하고, 원단도 가격 대비 최고로 좋은 원단을 쓴다.

후발 주자에게 손님을 뺏긴다고 해도 영원히 뺏기는 건 아니었다.

"흠. 그래도 확장세를 멈추고 현금을 확보하는 게 좋을 거야. 곧 제재가 들어올 수도 있을 거거든."

종혁은 중국 증시 대폭락을 생각하며 말했지만, 미진은 다른 걸 생각했다.

'그건 맞아.'

그렇지 않아도 여기까지 세를 확장하는 데 많은 적을 만들었다. 이제는 확장을 멈추고 내실을 다져야 할 때였다.

종혁은 생각에 잠기다 고개를 끄덕이는 미진을 향해 입을 열었다.

"그런데 한국은 어쩐 일로 온 거야?"

"오빠 만나러?"

"진짜 까분다."

"진짠데! 요!"

어느 정도는 진실이다.

상황도 이렇게 됐겠다 자체 휴가를 낸 그녀는 러시아로 가기 전 잠시 종혁을 보러 온 것이다. 종혁은 억울해하는 그녀의 모습에 머리를 긁었다.

"흠. 그래? 이거 어쩌지?"

"아, 괜찮아요. 어차피 약속도 잡지 않고 온 내 잘못이니까. 그럼 모레는 시간 되죠?"

"……아니."

"3일 후는?"

"쏘리. 형들 면회를 가기로 해서."

"……면회?"

지금 죄다 군대에 있는 가수 형들.

진급 휴가를 낸 김에 그들을 면회 가겠다고 약속을 했다.

종혁은 정말 미안하다던 얼굴로 미진을 봤고, 미진의 눈썹은 역동적으로 꿈틀거렸다.

* * *

"아, 겁나 추워."

이른 아침, 소속사 JC엔터테인먼트 앞에서 바들바들

떨던 준형은 이쪽을 향해 다가와 멈춰 서는 롤스로이스와 그 차에서 내리는 종혁의 모습에 씩 웃었다.

"요, 브로!"

"왜 춥게 나와 있어요."

어느새 동장군도 자취를 감춘 3월 말이 됐지만, 아직은 추울 수밖에 없다.

"오랜만이잖아. 문 밖에서 기다리는 건 주인이 할 일."

"왜? 아예 동구 밖에서 기다리지?"

"동구 밖? 동구 실장 옆에서 기다려야 해?"

"……한국어 좀 익히자, 이 양반아."

고개를 저은 종혁은 JC엔터테인먼트의 건물을 응시했다.

상암동에 신축으로 지어진 15층짜리 건물.

한옥의 색채가 묻어나는 건물 디자인이 제일 먼저 눈에 들어온다.

가속화되는 글로벌 한류에 하나의 랜드마크로 한국을 알리겠다는 정영탁 대표이사의 의지가 드러난 디자인.

'어마어마하게 벌었구나.'

"맞아. 우리 식사옥 처음 오지?"

"신사옥."

"오케이. 아이 가릿. 어때? 삐까뻔쩍하지? 저거 8층까지 우리가 지은 거야!"

"인정합니다. 아, 이쪽은 드바 로마노프 차이나의 상무이사인 에바 미진 킴, 김미진."

"드바 로마노프? 거기 옷 가게아냐? 우리 연습생 애들도 거기서 옷 많이 사는데! 오우, 커리어우먼 맨-! 헬로, 레이디!"

준형은 팔을 들었고, 미진은 그 손을 양손으로 낚아채며 눈을 빛냈다.

"저 팬클럽 1기예요, 오빠!"

"뭐? 진짜?"

종혁도 놀랐다.

'재가 형들 팬이었어?'

"누, 누구 팬이었어?"

"당연히 오빠 팬이었죠! 어머어머, 사인해 주세요!"

"어, 어메이징! 오케이! 들어와! 내가 식사옥 소개시켜 줄게!"

준형은 미진의 손을 잡아끌었고, 종혁은 어쩔 수 없다는 듯 건물 안으로 들어갔다.

그를 가장 먼저 반긴 건 로비의 바닥을 채우는 한국의 지도였다. 독도와 해역이 확실하게 표기된 지도.

"헛! 최, 최종혁 자문님?"

고개를 든 종혁은 멀리서 이쪽을 보며 눈을 동그랗게 뜨는 한 중년 남성을 향해 검지를 입술에 대며 윙크를 했다.

재빨리 입을 다문 중년인은 슬그머니 모른 척하며 걸음을 옮겼고, 그런 중년인을 발견한 로비의 사람들은 재빨리 고개를 숙였다.

"좋은 아침입니다, 전무님!"
"안녕하십니까!"
'누군지 모르겠지만 JC엔터 창립 멤버인가 보네…… 음?'
종혁은 이쪽을 빤히 응시하는 미진을 향해 어깨를 으쓱여 줬고, 피식 웃은 미진은 준형을 따라 한 바퀴를 주욱 돌았다.
"이쪽은 우리 JC 예비 스타들이 연습하는 곳! 요, 꼬맹이들! 육수들을 잘 뽑고 있냐-!"
"헉! 안녕하세요!"
"안녕하십니까!"
연습실 안으로 들어선 종혁은 몸을 풀다가 재빨리 차렷 자세를 취하는 백여 명의 연습생들의 면면을 보다가 살짝 당황했다.
본래라면 JC엔터테인먼트가 아닌 다른 소속사에서 이름을 알리게 되는 스타들이 여럿 자리하고 있는 탓이었다.
가장 당황스러운 건 제일 앞에 서 있는 미소가 해맑은 작은 키의 미남과 그 옆에 서 있는 4명이다.
'이 새끼들이 왜 여기에…….'
한 멤버만 제외하고 죄다 초대형사고를 치는 골칫덩이들이지만, 실력만큼은 그 누구도 흠잡을 수 없던 아티스트들.
'아, 삼성클럽 사건 때 그 양반 날아갔지?'

성상납과 뇌물에 대한 여러 증거들이 나오면서 징역 7년을 받았다. 그때 정영탁 대표에게 그 회사를 인수하라고 말을 한 기억이 난다.

'쩝, 이것도 나비효과인가? 거기다…….'

종혁은 저 멀리 보이는 작은 체구의 소녀를 보고 눈을 빛냈다.

'이설아.'

훗날 대한민국 대표 여자 아티스트가 되는 싱어송라이터다.

'미래 캐시카우들이 여기 다 모여 있구나!'

"오우. 종혁 눈 좋네. 애들 데뷔조거든! 올해 데뷔해!"

"아, 그래요?"

"애들아, 인사해. 마이 히스토리 알지? 내 키다리 아저씨."

"헉! 이, 이분이요?!"

JC엔터테인먼트 소속 연습생 중 준형들의 히스토리를 모르는 사람이 누가 있을까.

"거 아니라니까 그러네. 그래도 반가워요. 대한민국 경찰청 특별수사 1팀의 최종혁 경정입니다."

"겨, 경찰이요?"

"예. 그러니 괜히 사고 쳐서 나 만나지 맙시다."

종혁은 한 명, 한 명 인사를 나누다 가장 어리고 가장 뺀질뺀질하게 생긴 소년의 어깨를 힘주어 잡았다.

"아악?!"

"그땐 아주 혼쭐을 낼 테니까. 진짜 명심합시다."

"아아악! 네, 네네!"

싱긋 웃은 종혁은 준형을 바라봤다.

"그런데 원래 이렇게 다 모여서 연습해요?"

"노노. 아침 운동 시간이라서 다 모인 거야. 스트레칭으로……."

"몸을 풀어 부상을 방지한 후에 각자 연습실로 흩어진다?"

"뎃츠 라잇."

'좋은 방법이네.'

정영탁 대표는 매일 아침 데뷔조를 보여 줌으로써 다른 연습생들로 하여금 의욕을 고취시키고, 하나 된 소속감을 부여하고 있었던 것이다.

"흐음."

간편한 옷차림을 한 연습생들을 주욱 훑어본 종혁은 미진을 봤다.

"미진아, JC에 연습복으로 쓸 단체복 좀 후원할 수 있을까? 미래의 스타들이라잖아."

"흐응."

날카로운 눈으로 연습생들을 둘러본 미진은 이내 곧 만족스런 표정을 지으며 고개를 끄덕였다. 카메라 마사지를 받으면 제법 연예인 티가 날 애들이 몇몇 눈에 밟혔기 때문이다.

"알았어요. 지시해 놓을게요."

"땡큐. 자, 그럼 둘러볼 건 다 둘러본 것 같으니 우리도 이만 갑시다. 더 지체했다간 재우 울어요."

"오케이, 오케이. 애들아 나 간다. 수고해!"

"서, 선배님!"

"응?"

"혹시 재우 선배님 만나러 가세요?!"

가수 파트 연습생의 외침에 순간 다른 연습생들의 눈빛이 간절해진다.

가수라면 존경할 수밖에 없는 레전드라서 보고 싶은 것도 있고, 그 핑계로 단 몇 시간이라도 이 연습실을 벗어나고 싶은 것도 있는 등 여러 감정이 혼합된 눈빛이다.

이런 연습생들의 마음을 아주 잘 아는 준형은 난처하다는 듯 종혁을 봤고, 잠시 생각에 잠겼던 종혁은 이내 고개를 끄덕였다.

"뭐 재우도 오랜만에 어린 후배들 보면 좋겠죠. 적당히 추려서 데려와요. 대표님에겐 내가 말해 놓을 테니까."

"오우 싯. 역시 브로! 애들아-! 짱! 깸! 뽀!"

"우와아아아!"

피식 웃은 종혁은 핸드폰을 꺼내며 몸을 돌렸고, 미진은 그런 그의 옆구리를 쿡 찔렀다.

"여기 투자자였어요? 얼마나?"

"그러는 넌 언제부터 저 형들 팬이었냐? 너 원래 폼에 살고 죽는다는 다른 그룹…… 읍?!"

"쉿."

'그럼 그렇지.'

아무래도 방금 전 호들갑 떨던 모습은 사회생활이었던 것 같았다.

* * *

"야."

"이병 김재우!"

"오늘 면회라며?"

"이병 김재우. 예, 그렇습니다!"

"이 새끼가 빠져 가지고. 누가 월요일에 면회 잡으래. 미쳤냐?"

'아, 진짜 종혁이 형!'

"죄, 죄송합니다!"

"야, 됐어. 자대 배치 후 첫 면회잖아. 모르면 그럴 수도 있지. 그보다 누가 오는데? 혹시 동료 여가수들이냐?"

여가수란 말에 내무반 여기저기 널브러져 있던 아귀들의 눈빛이 모인다.

밖에선 레전드 가수지만, 여기선 그저 어리바리 이등병일 뿐인 재우는 식은땀이 등을 타고 흐르는 걸 느꼈다.

"아, 아닙니다! 준형이 형과 아는 형이 오기로 했습니다!"

"……에이. 얼른 면회하고 와라. 오후에 작업 있다."

"이병 김재우! 알겠습니다!"

흥미가 떨어진 선임들은 고개를 돌리고, 재우가 남몰래 한숨을 쉬는 그 순간이었다.

—아, 아. 행정반에서 전파합니다. 이병 김재우는…….

"이병 김재우! 면회 다녀오겠습니다! 수색!"

"그래, 다녀와."

"재우야, 오는 길에 아이스크림 하나 사 와라."

"예! 알겠습니다! 수색!"

'흐흐. 면회다.'

숨 막히는 내무반을 벗어나는 것만으로도 날아갈 것 같은 재우는 최대한 걸음을 재촉했다.

"형, 좋아요?"

"이병 김재우! ……솔직히 좋습니다."

아직 백일 휴가 전이라서 전우조로서 면회소까지 데려다주고 데려와야 하는 맞선임 일병은 그 마음 다 안다는 듯 푸근히 웃었다.

"어, 김재우 이병!"

"수, 수색!"

김재우는 행보관과 중대장이 함께 걸어오자 다급히 경례를 했다.

"크. 역시 바깥에서 큰일을 하고 와서 그런지 지인분도 참 대단하더구나?"

"예? 헉! 자, 잘 못 들었습니다?"

"아냐! 따라와!"

'나, 나 면회 가야…….'

하지만 감히 중대장과 행보관을 거스를 수 있을까.

의아해하며 건물을 나선 김재우는 커다란 트레일러와

그 속에서 물품을 빼내는 사병들을 보고 본능적으로 몸을 움직였다.

“아냐. 됐어, 됐어. 김재우 이병은 일할 필요 없어. 그렇지 않습니까, 중대장님?”

“그럼요. 손 하나 까딱하면 안 되죠. 김재우 이병, 그 지인분께 정말 고맙다고 전해 드려. 덕분에 우리 애들 편하게 지내게 될 거라고.”

사제 국방 셔츠에 활동복, 군화뿐만 아니라 온갖 부식에 연예인 화보집, 자기계발 서적 등 수십 가지 물품이 가득 실려 있는 트레일러.

황금마차와도 비교도 안 되는 것들이 쏟아진다는 소식을 들은 건지 사병들이 창문을 열고 구경하고 있었다.

‘종혁이 형이다!’

그의 지인 중 이런 미친 짓을 할 인간은 종혁밖에 없었다.

“오늘 영내 면회지? 영외 면회, 아니 외박하고 내일 들어와. 백일 휴가 전이라 이것밖에 못해 줘서 미안하다. 대신 백일 휴가 때 포상 휴가까지 모두 합쳐서 나갈 수 있게 할 테니까 서운해도 참아.”

“아, 아닙니다! 감사합니다! 수색!”

“그래. 김 일병이 인솔 병사인가? 자네도, 아니 재우 지인분께서 내부반 전원 보내 줄 수 있냐고 했었지…….”

처음엔 말도 안 되는 말이라 난색을 표했는데, 이런 걸 받은 이상 어찌 거절하겠는가.

"좋아. 지금 튀어가서 자네 내부반 총원 외박 준비하라고 해! 10분!"

"……수–색!"

김 일병이 내무반으로 달려가자 중대장은 재우의 어깨를 토닥였다.

"그래, 내무반 생활에 힘든 점은 없고?"

"아, 아닙니다! 선임들 모두 모두 잘해 주십니다!"

"그래그래. 힘든 일 있으면 언제든지 말해. 감히 김재우 이병 괴롭히는 놈 있으면 내가 아주 아작을 내 줄 테니까!"

'최종혁. 야, 이 미친 인간아.'

정말 선을 모르는 인간이었다.

지난 몇 달간 그렇게 보고 싶었던 바깥 풍경과 맡고 싶었던 바깥 공기지만, 지금 김재우에겐 아무것도 느껴지지 않았다.

그는 부대 밖에서 담배를 문 채 손을 흔드는 종혁을 향해 다급히 달려갔다.

"야, 이 미친 형님아."

"큭큭. 왜? 마음에 안 들어? 어리바리 고문관 좀 잘 봐 달라고 뇌물을 드린 건데."

"……그럴 거면 말이라도 하지. 내가 얼마나 놀랐는지 알아?"

"서프라이즈다, 인마."

툭툭 재우를 두드린 종혁은 주춤거리며 다가오는 재우의 선임들에게 다가갔다.

"충성. 저기 멀대 고문관의 아는 형인 최종혁입니다. 이거 바쁘신데 괜히 외박을 하게 만든 건 아닌지 모르겠습니다."

"아, 아닙니다. 덕분에 월요일에 쉴 수 있게 돼서 참 감사할 뿐입니다. 그런데 음……."

"아, 연예인 아니고 경찰입니다."

"그, 그러셨군요! 죄송합니다."

"죄송할 것까지야. 그럼 타시죠. 바깥에 나오셨는데, 1초라도 더 즐기셔야죠. 아, 오늘 경비는 저놈 좀 잘 봐 달라는 의미로 제가 모두 쏠 테니 돈 걱정은 안 하셔도 됩니다."

"예에?!"

경악하는 선임들을 본 재우는 종혁이 또 돈지랄 한다며 고개를 저었다.

* * *

치이이익!

고기가 노릇하게 익어 가는 고깃집. 오늘 갑자기 몰려든 손님들에 고깃집 사장의 입이 귀까지 찢어진다.

"……고마워, 형."

대한민국 남자라면 누구나 와야 하는 군대.

하지만 예상과는 너무 달랐던 자대 생활에 저기에서 구르면 제대를 할 수 있을까, 이대로 탈영하면 집에 돌아갈 수 있을까 하루에도 몇 번씩 고통스런 충동이 들었다.

정말 이대로 버티다간 미쳐 버릴 것 같은 와중에 종혁이 찾아와 이렇게 환기를 시켜 줬다.

거기다 잘 봐 달라는 선물까지.

종혁이 너무도 고맙고, 또 고마운 재우였다.

그런 재우의 마음을 알아차린 종혁은 잘하고 있다며 재우의 손등을 두드렸다.

"됐어. 형이 돼서 이것도 못해 주겠냐. 그보다 몰골이 이게 뭐냐? 살은 또 왜 이렇게 빠졌어?"

군대에 간 지 얼마나 됐다고 애가 반쪽이 됐다.

제아무리 물살이지만, 그래도 덩치가 종혁 본인에게 육박했던 놈이 이렇게 홀쭉해진 모습을 보자 괜스레 짜증이 났다.

"혀엉……."

종혁은 결국 눈물을 보이는 재우를 향해 술병을 기울였다.

"그런데 이런 냉동삼겹살로 괜찮겠어? 사제 음식 많이 먹고 싶었을 텐데."

솔직히 아무리 냉동삼겹살이라지만 고기의 질이 썩 좋지 않다.

"아냐. 형은 내가 이걸 얼마나 먹고 싶어 했는지 모를 거야."

영외 외출이나 외박 휴가를 다녀오는 사병들이 풀풀 풍기는 고기 냄새를 맡을 때마다 먹고 싶어 미치는 줄 알았다.

"그보다 다른 형들한테는 다녀왔어?"

종혁은 고개를 저었다. 재우의 소속 부대가 가장 멀리 있어서 제일 먼저 온 것이다.

"아니, 동반 입대를 했는데 왜 부대를 죄다 찢어 놓냐? 이럴 거면 동반 입대를 왜 하는데?"

"그래서 나도 알아봤는데 원래 그렇대."

"원래 그런 게 어디 있…… 에라이."

원래부터 주먹구구식 행정으로 유명한 군대. 말해 봐야 입만 아팠다.

"됐다. 대충 먹었으면 저기서 간절히 쳐다보는 애들한테나 가 봐. 너 보러 여기까지 찾아온 애들이야."

"아, 응! 좀 이따 봐!"

음료수병을 들고 일어서는 재우와 슬그머니 따라 일어서는 준형을 보다 가만히 있는 미진을 응시했다.

"자, 낙동갈 오리알 씨. 한잔하시죠."

"정말 일부러 방치한 거였어요?"

"그러게 따라오지 말라고 했잖아. 굳이 따라오겠다고 한 건 너……. 아니야, 주벅 쉬는 거 아니야."

"하아. 내가 뭘 바라. 술이나 따라 봐요."

"……내가 오늘 한 게 있어서 봐준다."

혀를 찬 종혁은 미진의 잔에 술을 따라 줬고, 그렇게

시간이 흘러 대충 1차를 마친 그들은 2차를 가기 위해 일어섰다.

"잘 먹었습니다, 재우 지인분!"

"자, 잘 먹었습니다!"

"어? 지금 배를 다 채우면 안 되는데? 2차 가서 더 먹어야 하는데?"

"그 배는 따로 있어요!"

"옳지. 당연히 그래야지."

웃음을 터트린 그들은 가게를 빠져나갔고, 종혁도 모두 잘 먹고 마신 것 같아 기분 좋게 웃으며 카운터로 향했다.

"아이고, 맛있게 드셨어요?"

"뭐 적당히 먹은 거죠. 얼마예요?"

"225만 3천 원입니다!"

"……얼마요?"

"40명이서 고기랑 밥, 술, 음료수를 드셨는데 이 정도면 싼 거죠! 현금으로 계산하시면 220만 원에 끊어 드릴게요!"

환청이 아니었다. 싱글싱글 웃는 사장의 낯짝을 일견한 종혁은 등 뒤의 테이블을 바라봤다.

'내가 소고기를 먹었던가?'

"흐응."

눈을 가늘게 뜬 종혁은 이내 혀를 차며 지갑을 열었다.

좋은 날 괜히 돈을 가지고 실랑이를 벌이고 싶진 않았다.

"감사합니다. 또 오세요!"

'글쎄…….'

울컥 솟는 짜증을 누르며 나온 종혁은 자신을 보자마자 걱정 어린 표정을 짓는 재우의 모습에 웃어 버리며 입을 크게 열었다.

"자, 이제 2차 갑시다! 저기 노래방을 향해 진격 앞으로!"

"와아아아아!"

그들은 근처의 노래방으로 달려갔다.

* * *

재우뿐만 아니라 다른 형들의 면회도 싹 다녀온 종혁은 휴가가 끝나자 다시 출근을 했다.

"오, 최 팀장! 이제 출근해? 아니, 최 경정이라고 불러 줘야 하나?"

"하하. 아닙니다, 선배님."

"최 팀장님, 진급 축하드려요!"

로비를 지나는 사람들의 축하를 받으며 지하로 내려온 종혁은 자리에 앉자마자 담배를 물며 턱을 쓰다듬었다.

출근 시간보다 빨리 출근해서 그런지 특별수사팀 사무실엔 오택수만 있었다.

"흐음."

움찔!

어젯밤 날을 새며 술을 마시고 온 건지 술 냄새를 풀풀 풍긴 채 의자에 늘어져 있던 오택수가 종혁의 신음에 반응하며 눈을 뜬다.

종혁이 뭔가 냄새를 맡았다. 오택수의 눈이 빛나기 시작했다.

그런 오택수의 마음을 아는지 모르는지 이번 휴가 때의 일을 떠올리며 생각에 잠기던 종혁은 결국 내선 전화기를 들었다.

“예, 수고하십니다. 특별수사 1팀장 최종혁입니다. 혹시 전방 군부대 위수 지역에 관한 신고가 접수된 게 있을까요? 아, 있어요? 그럼 그것 좀 싹 다 정리해서 제 메일로 보내 주세요. 일단 양구랑 화천부터. 감사합니다.”

“위수 지역? 바가지 상인들?”

종혁은 단번에 핵심을 찌르는 오택수의 모습에 고개를 끄덕였다.

“이번에 아는 지인 면회를 위해 다녀왔는데, 바가지가 꽤 심하더라고요.”

마치 여름휴가철 해변 상인들처럼 칼만 안 들었지, 날강도가 따로 없는 수준.

회귀 전 이 문제로 인해 꽤 시끄럽기는 했지만 이래저래 복잡한 문제라서 관심을 끊었는데, 이번에 당해 보니 꽤 심각한 수준이었다.

“네가 그렇게 말할 정도라고?”

“여인숙보다 못한 수준의 모텔 숙박비가 4만 원이더라고요. 4명 누우면 꽉 찰 수준의 모텔방이.”

그 외에도 상리를 벗어난 폭리를 취하는 곳이 많았다.

그런데 그보다 더 큰 문제가 있다.

'내 기억이 정확하다면, 분명 군인 메뉴판과 일반인 메뉴판이 따로 있다고 했었어.'

"미쳤네."

그제야 사태의 심각성을 알아차린 오택수는 이내 이를 갈았다.

"그런데 그 새끼들 잡아 처넣어 봤자 어차피 벌금이잖아."

더 강력하게 처벌한다고 해 봤자 영업정지 며칠이 전부. 출장비조차 나오지 않을 수준이라 오택수는 난색을 표할 수밖에 없었다.

하지만 종혁은 아니었다.

"단순히 폭리를 취한 거라면 그렇겠죠."

"……설마 담합?"

오택수의 표정이 딱딱하게 굳었다. 정말 그렇게 된다면 문제가 심각해진다.

"지금 대충 떠오르는 것만 해도 탈세에 공정거래에 관한 법률 위반이 있죠."

위수 지역이라는 한정된 공간을 벗어나지 못하는 군인들을 상대로 폭리를 취했다. 귀에 잘 걸기만 하면 공정거래법 위반도 걸고넘어질 수 있었다.

"……그러니까 위수 지역을 날려 버리자고?"

단순히 폭력 조직 하나를 날려 버리는 게 아니라 하나

의 행정 구역을 날려 버리는 일이다. 오택수는 순간 눈앞이 깜깜해졌다.

"가능…… 하겠냐?"

"전국 중고차 매매 단지도 날려 버린 양반이 뭔 엄살이래. 그리고……."

종혁은 코웃음을 쳤다.

"내가 언제 가능할 것 같은 놈들만 들이받았습니까?"

"……."

띠링!

"아, 왔네."

간편신고관리과가 보내온 신고 내역들을, 한풀이에 가까운 신고 내역들을 살핀 종혁은 입술을 비틀었다.

'그래, 여기 나오네. 군인용 메뉴판.'

"새끼들. 졸라게 해 처먹었네."

신고 내용들만 봐도 얼마나 받아먹었는지 감이 잡힌다.

아니, 지금 그게 중요한 게 아니다.

피해를 당한 군인들. 그들의 사정이 가장 중요했다.

'맞아. 이 시기 군인 월급이 이 수준이었지.'

한 달 월급이 고작해야 5만 원에서 7만 원. 이마저도 작년에 비해 40퍼센트가량 인상된 것이다.

강제로 끌려간 것도 억울할 텐데, 겨우 이 돈을 받고 이 나라를 지키는 거다.

그리고 위수 지역 상인들은 이 싸구려 목숨값을 아무렇

지 않게 갈취하는 것이었다. 김재우처럼 정신적, 육체적 고통을 참으며 겨우 번 목숨값을 말이다.

열이 솟구칠 수밖에 없었다.

"개쌍놈의 새끼들. 군인 월급이 얼마나 된다고."

이를 뿌득뿌득 간 종혁은 보고서를 작성하기 시작했다.

출장비가 나올 수준의 사건이건 아니건 이놈들을 잡아 처넣지 않으면 속이 뒤집어져 살 수가 없을 것 같았다.

"나도 도울게."

오택수도 눈에 불기둥을 세우며 키보드를 두드리기 시작했다.

* * *

"헥헥헥헥!"

무릎 위에서 빵빵하게 부푼 배를 까고 누운 덕자.

얼마나 잘 먹고, 잘 잤는지 묵직하다.

"인마, 너 너무 많이 먹는 거 아니냐?"

"왕!"

세상에 걱정 한 점 없다는 듯 해맑은 미소에 손이 절로 배를 문지르게 된다.

그사이 검토를 다 한 건지 탁 소리가 나게 보고서를 덮은 정용진 부장은 눈을 가늘게 떴다.

"이게 정말 사실이라면 피해 규모가 상당하군요."

“전쟁 발발 시 5분 내에 부대 복귀를 하기 위해 만들어진 게 위수 지역이다 보니 그 피해는 천문학적일 것으로 예상됩니다.”

“피해 사실은 확인이 가능하겠습니까?”

“군의 협조가 필요합니다.”

피해 사실을 조사하려면 부대 안에 들어가야 한다.

아니면 외박이나 외출을 나온 사병에 접근을 해야 되는데, 그렇게 되면 일이 번거로워진다.

“흐음. 군이라…….”

정용진은 생각에 잠겼다.

경찰의 공권력이 통하지 않는 군대.

대한민국에서 폐쇄적이기로 손꼽히는 집단이다.

“협조를 요청하는 건 아무래도 상관없습니다. 그보다 괜찮겠습니까? 최 팀장은 분명…….”

육군 소장의 아들 채팅살인마 윤영철을 교도소에 처박아 버린 전적이 있는 종혁이다. 신원이 밝혀진다면 절대 협조를 하지 않을 것이다.

게다가 이번 사건의 초점은 가격 담합과 탈세 범죄다.

범죄의 입증조차 힘든 가격 담합과 탈세. 종혁으로선 처음 맡는 유형의 사건이었다.

정보국 소속이었던 정용진도 처음 접하는 사건이었다. 비슷한 사건은 많이 봤어도 말이다.

그 경험에 의하면 주의해야 될 점은 하나다.

“어디까지 얽혀 있을지 모르기에 자칫 잘못하면 닭 쫓

던 개, 아니 역풍이 크게……."

말을 하던 정용진은 덤덤한 종혁의 표정에 풀썩 웃었다.

"계획이 있군요."

'아이고, 이 양반아. 내가 지능범죄수사대 대장이었어요.'

사기, 위조, 횡령, 탈세 등 지능범죄의 전문가가 종혁 본인이었다.

"뭐, 어떻게든 되지 않겠습니까? 그건 그때 가서 생각해 보겠습니다."

어깨를 으쓱이는 종혁의 모습에 정용진은 못 말리는겠다는 듯 고개를 저었다.

"알겠습니다. 승인하죠. 다만."

정용진은 손가락 하나를 펴며 눈을 빛냈다.

"단속부터 시작한 후에."

명분. 특별수사팀이 나설 명분을 얻기 위해서다.

'이 양반도 참.'

두뇌 회전이 예술이었다.

씩 웃은 종혁은 몸을 일으켰다.

"충성."

"끼잉."

벌써 가? 하며 아쉬워 우는 덕자를 쓰다듬은 정용진은 마치 허락할 줄 알았다는 듯한 종혁의 반응에 눈을 빛냈다.

"흐음. 제가 허락할 줄 알았던 겁니까?"

"제가 아는 과장님은 상식적인 분이시니까요."

움찔 몸이 굳는 정용진을 뒤로한 종혁은 사무실을 빠져나갔고, 남겨진 정용진은 하품을 하는 덕자를 쓸어내리며 중얼거렸다.

"상식적이라……."

웃는 듯 우는 듯 정용진의 표정이 괴상하게 일그러졌다.

* * *

경찰, 군 위수 지역 집중 단속 시작! 위수 지역이란?

성매매 근절 및 주취, 지명수배 단속!

위수 지역 상인들 날벼락에 항의!

저녁 시간에 들이닥친 경찰? 경찰 때문에 못살겠다!

역시 찔리는 게 있는지 강력하게 반발하는 위수 지역 상인들의 거센 저항에 단속은 고작 일주일 만에 흐지부지 끝나 버리게 됐다.

그에 오택수는 혀를 끌끌 찼다.

'아주 축배를 들고 있겠구만. 개새끼들.'

"예. 아, 그렇습니까? 알겠습니다. 감사합니다. 충성."

오택수는 종혁을 보며 입을 열었다.

"뭐래?"

"뭐긴 뭐래요."

종혁은 입술을 비틀었다.

“단속을 시행한 경찰들 중 단 한 명도 가격에 의문을 가지지 않았대요.”

“단 한 명도? 지랄 났다.”

‘나도 큰 기대는 안 했다, 새끼들아.’

한 지역에 속한 주민 전체가 작정을 하고 입단속을 하는 사건이다. 못 봤을 수도 있고 보고도 못 본 척한 것일 수 있지만, 작정하고 속인다면 속을 수밖에 없다. 물론 둘 다 큰 문제였다.

한숨을 탁 내쉰 오택수는 외투를 챙겨 들었고, 종혁은 황급히 따라 일어서는 최재수를 봤다.

“다리는? 재활치료 안 받아도 괜찮겠어?”

며칠 전 실밥을 뽑고 퇴원한 최재수. 아직은 안정을 취해야 할 때였다.

“괜찮습니다! 재활 치료는 가서 해도 됩니다!”

어떻게든 갈 거라는 듯 눈을 부라리는 그의 모습에 종혁은 피식 웃었다.

“헛소리하지 말고 도착하면 다리 컨디션이나 끌어올릴 생각만 해. 형사는 그 몸뚱이가 재산이니까.”

언제 뒤질지 모른 채 불나방처럼 달려드는 몸뚱이.

사명감으로 똘똘 뭉친 몸뚱이가 형사가 가진 재산의 전부였다.

“이번 사건만 해결하고 은퇴할 거 아니면 내 말 따라. 알았어?”

"……옙!"

"그럼 저흰 다녀오겠습니다. 언제 들어올지 모르니 사무실 잘 부탁드립니다."

"어이! 잘 다녀오드라고-! 도움 필요하면 언제든지 콜하고!"

"올 때 아이스크림!"

이번 수여식 이후 부쩍 가까워진 2팀과 3팀은 일망타진을 외치며 손을 흔들었고, 종혁과 오택수, 최재수는 강원도로 향했다.

육군 27사단, 흔히 이기자부대라 부르는 사단의 수색대대.

대대 건물 앞에 선 대대장은 위병소 쪽을 바라보며 눈을 가늘게 떴다.

"윤경수 소장님을 날려 버린 놈이라고?"

사이코패스 아들을 둔 죄로 인해 탄탄대로였던 출셋길에서 내려와 일개 야인이 되어 버린 윤경수 소장.

물론 대한민국의 국방을 지키는 장성으로서 그런 흠집이 있으면 안 되지만, 이런 말이 있다.

문제를 삼지 않으면 문제가 되지 않는다.

'그분이 얼마나 청렴결백하셨던 분인데!'

훗날 육군을 개혁할 차기 참모총장으로 유력시되던 위인이었다.

한때 윤경수 소장을 직속 상사로 모셨던 대대장으로서

종혁은 죽일 놈에 불과했다.

“병사들 입단속 확실하게 해. 그딴 새끼한테 터럭만큼 작은 거라도 넘어갔다가는 절대 가만두지 않을 테니까. 뭘 받아 처먹었다고 하더라도.”

대대장은 김재우가 소속된 중대의 중대장을 가만히 응시했고, 중대장은 다급히 거수경례를 했다.

“추, 충성!”

“……헌병에 그놈을 아는 놈이 있다고?”

“경찰대에 입학했다가 육사로 편입을 한 신임 소위가 있어서 호출을 했는데, 어제 도착해서 영내에 대기 중인 상태입니다.”

“함께 집어넣어서 감시해.”

“알겠습니다.”

“오는군…….”

부우우웅.

멀리서 다가오는 롤스로이스에 대대장은 얼굴을 구겼다.

“26살이라고 하지 않았나?”

“겨, 경정이라고 합니다. 군으로 치면 대위입니다.”

“……부모 잘 만난 애새끼였군. 쯧.”

26살에 대위. 대대장은 코웃음을 쳤다.

“경찰이 얼마나 개판인지 알겠어.”

차가 멈춰 서자 표정을 수습한 대대장은 차에서 내려 다가오는 종혁을 무심히 응시했다.

그뿐만 아니라 이 자리에 있는 다른 군인들도 말이다.

종혁은 온몸에 꽂히는 시선에 씩 웃었다.

"협조 요청을 들어주셔서 감사합니다. 본청 간편신고관리과 특별수사 1팀 팀장 최종혁 경정입니다."

"수색대대 대대장 성문식 중령입니다. 북핵 문제로 전방 부대 전체가 골치 아픈데 별거 아닌 일로 번거롭게 하는군요. 이게 경찰의 특기입니까?"

"죄송합니다. 이 나라의 사병들이 2년 동안은 군의 소속이지만, 이후엔 저희 소관이라서 말입니다. 이 나라의 국방에 한 목숨 바치는 대한민국 건아들을 위한 일이니 너무 고깝게 생각하지 말아주십시오."

고작 몇 푼 안 되는 돈 때문에 이 많은 사람을 귀찮게 하냐, 그 몇 푼이 니들이 강제로 데려간 국민의 목숨 값이다 이런 칼날을 숨긴 둘의 대화.

둘의 눈빛이 허공에서 불꽃처럼 파바박 튀었다.

"……흥. 장소는 마련해 뒀으니 거기서 조서를 꾸리면 될 겁니다. 그리고 우리 군의 헌병도 참관할 테고, 이후 협조는 여기 조 중대장이 해 줄 겁니다. 그럼 난 바빠서 이만."

"추, 충성!"

"다시 한번 협조 감사합니다. 충성."

"흥!"

대대장은 중대장들과 함께 우르르 대대 건물 안으로 들어갔고, 남겨진 김재우 소속 중대의 중대장은 한숨을 푹 내쉬었다.

"어차피 얻는 것도 없을 텐데 왜 이렇게 오셔서 여러 사람을 귀찮게 하는 겁니까?"

그렇게 많은 걸 처먹고도 짜증부터 내는 그의 모습에 종혁의 눈이 가늘게 떠졌다.

"그 얻을 게 없다는 말은 상인들이 깨끗해서입니까, 아니면 얽힌 분들이 계셔서입니까?"

"……저희 군을 욕되게 하지 마십시오. 상인들도 사병들을 위해 뭐 하나라도 더 해 주고 싶은 마음만 가득하신 분들입니다."

"예, 예. 그러시겠죠. 그럼 저희가 머물 사무실부터 안내해 주시겠습니까?"

이렇게 말싸움으로 시간 낭비를 하지 말자는 뜻이 함축된 말에 중대장은 이를 갈았다.

"따라오시죠."

쾅!

여기서 하면 된다고 안내한 중대장이 거칠게 문을 닫으며 떠난 공간을 둘러본 종혁은 혀를 내둘렀다.

"이야아."

대대 건물 뒤편의 허름한 창고로 안내될 때까지만 해도 혹시나 했는데 역시나였다.

바닥에 쌓인 먼지나 거미줄, 쓰레기.

앞으로 어떤 취급을 받을지 안 봐도 비디오였다.

"허어. 군이 경찰을 싫어하는 것쯤은 들어서 알고 있었지만 이 정도일 거라곤 생각 못했네."

"군이 경찰을 싫어해요? 왜요?"

"……이따가 저녁에 인터넷 찾아봐. 이젠 하나하나 알려 주기도 귀찮다."

"씨발. 또 자기들만……."

빠악!

"악!

"닥치고. 가서 청소 도구나 얻어 와. 가져온 거 세팅하려면 여기부터 치워야 할 것 같으니까."

"쩝. 예, 알겠습니다."

"누구한테 얻어야 되는지 알아?"

"저 육군 병장 출신이에요."

군대를 다녀온 후 경찰에 지원한 최재수.

머리를 긁으며 문을 열던 최재수는 문을 두드리려는 포즈로 서 있는 헌병에 깜짝 놀랐다.

"여기가…… 어? 최종혁?"

"엥?"

고개를 돌렸던 종혁은 너무도 오랜만에 보는 동기의 모습에 눈을 껌뻑였다.

"뭐야, 네가 여기 왜 있어?"

어느 날 갑자기 자퇴를 하며 사라져서 걱정했던 동기.

여기서 이런 모습으로 만나게 될 줄 몰랐다.

종혁의 동기는 견장에 달린 소위 마크를 매만지며 쓴웃음을 지었다.

"뭐 이런저런 이유가 있어서. 네 소식은 다른 애들한테 전해 들었어. 벌써 경정이라면서? 햐, 경찰대에서도 예술이더니 진급도 예술이네."

"크크. 넌 이제 아무리 노력해도 내 밑임."

"……아오, 진짜 이걸 팰 수도 없고."

"왜? 패. 괜찮아."

"아냐. 내가 지니까 그래."

"오올. 이제 실력 파악 좀 하는데?"

"하, 진짜 때리고 싶다."

"크큭. 그래서?"

종혁의 눈빛이 삽시간에 가라앉자 동기는 입을 다물었다.

"……미안하다. 아무래도 나 감시 역인 것 같다."

"그거야 당연히 눈치챘고. 그보다."

종혁은 동기의 가슴을 쿵 두드렸다.

"여기다 새긴 경찰 선서는?"

"씨발 새끼야. 나도 경찰이야."

으르렁거리듯 사납게 이를 드러낸 동기의 모습에 종혁은 그의 옆통수를 탁 쳤다.

"시끄러워. 동기를 좆으로 아는 병신 새끼야. 아주 한 번만 더 이래 봐라. 콱, 씨빌."

"알았어, 알았다고."

종혁의 따뜻한 말에 울컥했던 동기는 눈매를 날카롭게 세웠다.

"그래서 뭔 일인데?"

'이제야 내 동기답네.'

흐뭇이 웃은 종혁은 이쪽으로 다가오는 일단의 무리를 턱으로 가리켰다.

"그건 저기 오는 피해자들이 하는 말을 들어 보면 알게 될 거야."

입단속을 당했든 아니든, 앞으로 시작될 대화를 듣는다면 알게 될 수밖에 없었다.

청소를 마친 공간에 있는 사람들의 얼굴이 딱딱하게 굳었다.

"아, 아닙니다. 위수 지역 사장님들은 저희를 마치 친아들처럼, 조카처럼 챙겨 주십니다. 서, 서비스도 많이 주십니다."

판에 박힌 대답.

종혁은 안경을 치켜세우며 사병의 눈을 빤히 응시했다.

"그러니까 단 한 번도 위수 지역에서 부당한 일을 당한 적이 없단 말이죠?"

"그, 그렇습니다."

"협박을 당하시거나 강요받는 그런 일은 없으시고요."

"……그렇습니다."

"알겠습니다. 수고하셨습니다. 전종호 상병, 이거 가져가세요."

눈치를 보던 상병은 슬그머니 책상 옆에 놓인 과자 중

한 봉지를 챙겨 일어섰고, 문가에 서 있던 중대장이 비릿한 미소를 지으며 다가왔다.

"거보십시오. 문제없다고 하지 않았습니까. 대체 누구에게 뭘 들었기에 이렇게 부대를 뒤집어 놓는지 몰라도 계속 하셔 봤자 없는 일을 있는 일로 만들 순 없는 겁니다."

"뭘 들은 게 아니라 제가 직접 당했습니다. 이야, 위수 지역 물가 살벌하데요? 강남인 줄?"

"……."

종혁은 씩 웃었다.

"곧 점심시간인 것 같은데 잠깐 쉬었다 할까요?"

"……알겠습니다."

콰앙!

"하아."

"후우."

뜨거워진 머리를 쓸어 올린 사람들은 무너지듯 의자를 젖혔다.

안경을 벗은 종혁은 담배를 문 채 방금 정리한 진술서를 저장했다.

"야, 이 새끼들 대본을 줬나 본데?"

그렇지 않으면 이렇게 똑같은 대답을 할 수가 없다.

오택수는 머리를 벅벅 긁었다.

"정말 계속해야겠냐?"

앞으로도 똑같은 말만 나온다면 시간 낭비에 불과했다.

오택수는 목소리를 낮췄다.

"차라리 이 부대를 제대한 사람들을 찾는 게 낫지 않겠어?"

제보자의 신원 노출을 피하기 위해 대대원 전원에게 진술을 받고 있음에도 하나같이 입을 다물었다.

짧게는 몇 개월, 길게는 1년 이상을 이곳에 머물러야 하는 이들로서는 심적 부담이 크게 다가오는 탓일 터였다.

이대로라면 피해 사실조차 확인할 수 없고, 더 이상 수사를 이어 나간다는 건 불가능했다.

그럼에도 종혁은 태연한 모습으로 대꾸했다.

"뭐 그건 그거대로, 이건 이거대로 해야죠. 이것도 다 증거네."

어디에 쓰일지는 아직 모르는 증거지만 말이다.

"뭐? 너 혹시……."

"자, 우리도 밥 먹으러 가죠. 짬밥은 맛이 어떠려나?"

"엑! 짬밥 먹어요? 굳이?"

"군대에 왔으면 짬밥을 먹어 봐야지! 내 동기님은 많이 드셨겠지만 또 드셔."

"야, 그냥 내가 살게. 나가자!"

"응. 안 돼."

"……씨발."

출장까지 나와서 짬밥을 먹어야 한다는 것에 종혁의 동기는 낙담을 했고, 종혁은 킬킬 웃으며 일어섰다.

그렇게 장병 식당으로 향하는 길.
종혁의 동기가 착 가라앉은 눈으로 묻는다.
“위수 지역 바가지 때문에 온 거였냐?”
“그럼 내가 병영 비리 때문에 왔을까. 아는 거 있어?”
“……모를 리가 있겠냐.”
그가 헌병 장교가 된 후 제일 먼저 다루려고 했던 사건이 바로 그것이다.
하지만 군부대 밖 민간인의 일이라며 그 자리에서 기안서가 찢겨 버렸다. 민간인의 일은 자신들의 관할이 아니라며 말이다.
나중에 알고 보니 헌병대로 부임된 초임 간부들이 한 번씩은 겪는 연례 행사였다.
“오, 맞는 말 했네.”
“야! 그 새끼들도 반쯤 군 관계자야!”
군인들에게 팔아먹기 위해 장사를 시작한 것이나 마찬가지인 위수 지역 장사꾼들.
어찌 그들을 군과 관계되지 않았다고 할 수 있을까?
“하지만 민간인 신분이지.”
민간인을 대상으로 한 수사는 경찰의 역할이었다.
냉정한 종혁의 눈에 동기는 무력감을 느꼈다.
“후우. 돌아가면 그때 조사한 자료…….”
“됐어. 그러다 괜히 잘리지 말고.”
“……미안하다.”
“동기끼리 미안하긴, 씨발. 그보다 저기가 말로만 듣던 병영 식당이야? 오, 나름 깔끔한데?"

"깔끔하기만 하지."

첫째도 청결, 둘째도 청결, 셋째도 청결인 군대.

"정말 당부하는데, 기대하지 마라."

"시끄러워."

콧방귀를 뀐 종혁은 갑자기 나타난 민간인에 몰리는 장병들의 시선을 받으며 배식판을 들었다.

그리고 첫술을 뜨곤 얼굴을 와락 구겼다.

'곧 망할 분식집을 가도 이것보단 잘하겠다!'

"거봐, 내가 뭐랬어."

"……씨발."

* * *

"후우. 아직까지 하는 건가?"

벌써 4일째다.

종혁이 부대 분위기를 어지럽힌 게 말이다.

"멍청한 건지, 강단이 있는 건지."

"멍청하니까 그렇게 돈을 써 가며 있는 거 아니겠습니까."

과자나 음료수를 나눠 주고, 맨날 사병들과 함께 밥을 먹으며 사병들의 환심을 사려 한 수작을 왜 모르겠나.

하지만 그들이 부대 밖 민간인인 이상 쓸데없는 일이었다.

"그것도 오늘로 마지막일 테니 너무 걱정하지 마십시오."

"위수 지역 상인들이 다치면 결국 장병들이 피해 입는 거 알지? 말 나오지 않게 마지막까지 확실하게 단속해."

"충성."

―왼발! 왼발!

대대장은 이쪽으로 다가오는 사병들을 보며 눈빛을 가라앉혔다.

"마침 마지막 인원들이 오는 것 같군요. 김재우 이병 내무반 병사들입니다."

"김재우 이병은?"

"걱정 마십시오. 잘 처리했습니다."

고개를 끄덕인 대대장은 담배를 물며 돌아섰다.

"차 대기시켜. 사단에 가야 하니까."

"예."

"재우 지인분……."

"재우는요?"

"……멀리 진지 보수 갔습니다. 아마 며칠 돌아오지 못할 겁니다."

종혁은 헛웃음을 터트렸다.

"예, 수고하셨습니다. 여기 이것들도 가져가시고요."

"죄송합니다."

손을 저은 종혁은 웃으며 배웅을 했고, 중대장은 그런 종혁을 향해 얄밉게 웃었다.

"더 이상은 없습니다만? 왜요? 휴가나 지원 나간 사병들도 불러 드릴까요?"

그래서 아무것도 안 나오면 감당할 수 있겠냐는 물음에 종혁은 싱긋 웃었다.

"휴. 아니요, 괜찮습니다. 대신 못 온 병사의 신상명세서는 보내 주시겠습니까? 특별한 경우를 제외한 부대원 전부를 조사했다는 증거는 남겨야 돼서."

"……그럽시다."

"끝까지 협조해 주셔서 감사합니다. 수고하셨습니다. 그리고 얼굴 보기 더럽게 힘든 친구님. 다음에 연락했을 때 안 나오면 죽여 버린다, 진짜."

"하하, 알았어. 애들이랑 다 같이 얼굴 한번 보자."

"크흠! 멀리 안 나갑니다."

쿵!

문이 닫히자 남겨진 셋은 헛웃음을 터트렸다.

"군대…… 정말 아름다운 곳이네요."

"아주 아름답다 못해 징그럽다! 씨발!"

특별한 이유가 있어 오지 못하는 인원을 제외한 대대 장병 전원을 조사했는데, 그중 단 한 명도 위수 지역 상인들을 고발한 사람이 없다.

'이게 다 징병제라서 그런 거지…….'

강제적으로 시간이 얽매이지만 않았어도 이렇게 입을 다물었을까.

"에휴. 갑시다, 가. 내일부턴 양구 쪽 부대 가야 해요."

양구 쪽 군부대가 뭔가, 인근에 위수 지역이 있는 군부대는 모두 들러야 한다.

“야, 이번 수사 끝나면 꼭 여행 가자. 뭔 놈의 수사가 할 때마다 힘들어?”

“그럽시다, 그래요. 재수, 다 챙겼어?”

“옙!”

가리봉동 사건 이후 종혁은 최재수를 이름으로 부르기 시작했다.

그렇게 군부대를 빠져나온 셋을 태운 차는 위수 지역을 가로질러 시내로 향하기 시작했다.

그 순간이었다.

퍼억!

“악?!”

다급히 차를 세운 최재수는 앞 유리를 물들인 흰색 액체에 눈을 동그랗게 떴고, 종혁과 오택수는 우유팩을 던지고 후다닥 멀어지는 십대 소년의 모습에 낯빛을 굳혔다.

“저, 저 꼬맹이가!”

“문 열지 마.”

“예?!”

퍼억!

최재수는 운전석 창문에 부딪쳐 깨진 계란을 보고 몸을 굳혔고, 낯빛을 굳힌 종혁은 나지막이 입을 열었다.

“차 출발시켜. 네가 세차할 거 아니면.”

“예, 예!”

부우우우웅!

"씨발, 우리가 조사한다는 게 퍼졌나 본데?"

"당연히 그렇겠죠."

"어떻게 할 거냐? 이거면 양구 쪽도 이 지랄 날 것 같은데."

군부대에 진입할 수 있으면 다행일 것 같은 불길한 예감이 든다.

"갈 거야?"

"……아니요. 서울로 갑시다."

"서울로?"

오택수는 껌뻑이던 눈을 크게 떴고, 종혁은 입꼬리를 비틀었다.

'군부대와 위수 지역에선 너희가 왕이지?'

하지만 그 바깥에선 경찰이 갑이다.

"일단 신고한 사람들 중 휴가 나온 사병이 있는지 확인부터 해 주세요."

"흠. 걔들이 말하겠어?"

"말할 이들이 있잖아요."

국가가 강제로 채워 놓은 족쇄를 벗을 준비를 하는 이들. 그들을 만나야 했다.

* * *

2년이라는 긴 시간을 나라를 지키는 군인으로 지내다

보면 떨어지는 낙엽도 조심해야 될 때가 온다.

군대에서의 마지막 휴가, 15박 16일의 휴가를 받고 사회로 나온 병장 조호연이 딱 그런 시기를 겪고 있었다.

“캬! 우리 호연이도 드디어 말년 병장이네!”

바로 말년 병장.

내무반 왕의 자리에서 물러나 권력을 이양하면서 숨 쉬는 것조차 조심해야 되는 반쯤 민간인.

“제대하면 뭐하려고? 복학하려고?”

“일단은 학비부터 벌어야지. 씨발, 군대에서 모은 게 없다.”

“에엥? 군대에서 돈 쓸 일이 뭐가 있다고? 월급이 7만 원이라고 하지 않았어? 한 달에 7만 원이면…… 거의 3백만 원 모았겠네! 어머, 오빵-!째연이 용돈 없쪄요!”

“……야, 쟤 취했다. 재워라.”

“안 취했거든?! 학교에서 아저씨 취급받는 놈들 불쌍해서 놀아…… 읍! 으읍!”

“그래요. 우리 째연이 코 하자.”

발버둥 치는 대학 동기를 바라보던 조호연 병장은 옆에서 내밀어지는 술잔에 눈을 껌뻑였다.

“짠?”

“짠.”

웃음과 함께 술잔이 부딪쳤다.

그렇게 주거니 받거니 시간이 얼마나 흘렀을까.

힐끔 시계를 본 조호연 병장은 몸을 일으켰다.

“뭐야, 벌써 가게?”

“부대에 전화해야 돼.”

“벌써?”

이제 겨우 저녁 7시다.

“몰라. 8시까지 전화하래.”

“뭐? 그럼 아까 그 전화가 부대에서 온 거였어?”

“……씨발.”

“미친! 어떤 또라이 새끼가 그런 짓을? 너희 중대장 새로 왔냐? 아니, 그보다 원래 말년이면 봐주지 않아?”

“몰라, 씨발. 무조건 전화 받으래. 아니면 영창 보낸다고.”

대충 어떤 이유인지 예상은 간다.

조호연 병장이 휴가를 나오기 전 부대를 뒤집어 놓았던 경찰들. 아마 그들 때문일 것이다.

‘그러게 찔릴 짓은 왜 하는데?’

진짜 휴가가 잘리지 않은 게 다행이었다. 휴가를 잘랐다면 가만있지 않았을 테지만 말이다.

“지랄, 씨발 군대! 이놈의 군대는 정상인 적이 한 번을 없네!”

“그럼 난 먼저 간다. 연락할게!”

“어. 들어가!”

“군인 아저씨, 잘 가-!”

친구들의 배웅을 받으며 밖으로 나온 조호연 병장은 거리를 가득 채운 사람들의 모습에 울상을 지었다.

"저 사람들은 이제 술 마시러 가는데…… 씨발."

군인인 게 죄였다.

한숨을 푹 내쉰 그는 지하철역 향했다.

그렇게 도착한 집근처의 주택가.

바스락 근처 편의점에서 산 술을 담은 봉투를 든 조호연 병장은 다시 시간을 확인하고 이를 뿌드득 갈았다.

이제 겨우 7시 40분.

"씨발. 내가 제대만 해 봐! 싹 다 신고해 버릴 거야, 아주!"

"그 신고 지금 하는 게 어떻겠습니까?"

흠칫!

"누, 누구?"

"경찰입니다."

조호연은 경찰공무원증을 들이미는 종혁을 보며 눈을 부릅떴다.

* * *

"휴가 나간 사병들은 문제없겠지?"

"걱정 마십시오. 1시간마다 연락해서 상황통제 중입니다."

고개를 끄덕인 대대장은 술잔을 들었다.

"자, 그럼 우리도 한잔할까? 수색대대의 무궁한 발전을!"

"위하여!"

채재쟁!

고기 굽는 냄새가 가득한 식당, 군인들의 술자리가 시작됐다.

“아닙니다. 경찰은 안 왔지 말입니다. 술도 깰 겸 근처 카페에 왔습니다. 커피만 마시고 들어갈 겁니다.”

–그래. 허튼짓할 생각 말고. 부대에 남은 후임들 생각해야지. 대대장님이 이틀 먼저 내보내 주신다는 약속 잊지 않았지?

이틀. 단 1분이라도 군대에 붙어 있고 싶지 않은 말년 병장에게 이틀이란 너무도 엄청난 시간이었다.

조호연 병장은 그 악마의 유혹에 넘어가고 나서야 온전히 말년 휴가를 나올 수 있었다.

“……예. 들어가면 전화하겠습니다. 충성.”

–충성.

통화를 종료한 조호연 병장은 이를 악물었다.

“이틀은 씨발. 개새끼들…….”

미우나 고우나 정이 든 후임들의 군 생활을 인질로 삼은 놈들이 개새끼가 아니라면 누가 개새끼일까.

조호연 병장은 앞에 앉은 종혁을 매섭게 노려봤다.

“하나 물어도 되겠습니까? 왜 제대한 병장들을 찾아가지 않은 겁니까?”

“그들은 과거이지만, 조호연 병장은 현재진행 중에 있으니까요.”

제대해 민간인이 된 이들에게 위수 지역의 상황을 들어봤자 큰 의미가 있을까. 수사가 들어가도 그때와 지금은 다르다고 하면 그만이다.

확실한 증거가 없는 이상, 위수 지역 상인들의 거래 내역을 살필 수 없는 상황에서 괜히 억지로 확인하려 들었다간 얼마 전처럼 경찰이 소상인을 괴롭힌다며 역풍만 맞는다.

그래서 굳이 제대한 인물들을 찾지 않은 것이었다. 찾기도 힘들지만 말이다.

"후우. 그래요……."

"조호연 병장의 신변 보호는 확실하게 할 테니 걱정 마십시오. 참고로 제 팀원들이 다른 말년 병장들에게도 찾아갔으니 조호연 병장이 말한다고 해도 범인이 누군지 알 수 없을 겁니다."

움찔!

종혁은 놀라 쳐다보는 조호연 병장을 향해 걱정 말라는 듯 웃어 주었다.

"……뭐가 궁금하십니까?"

'됐군.'

종혁은 테이블 아래로 내린 주먹을 꾹 쥐었다.

* * *

"현금 결제를 유도 한다는 말입니까?"

"네! 막 5천 원, 만 원 깎아 준다는데 현금을 주지 않을 수가 없잖습니까! 5천 원, 만 원이 저희한테 얼마나 큰데!"

따지면 카드 가맹점이 아니라고 한다. 카드 계산기가 버젓이 눈에 보이는데도 말이다.

그러다 못 내겠다고 목소리를 높이면 어느새 헌병이 찾아와 식당에서 행패를 부렸다고 외박, 외출을 취소해 버린다.

이후엔 식당에서 출입을 금지시켜 버린다.

"그러니 저횐 울며 겨자 먹기로 따르는 수밖에 없습니다, 진짜!"

"와, 씨발. 개새끼들이네, 이거?"

예상한 것보다 더 악질들이다.

"제 말이요! 아?"

"하하. 경찰도 욕합니다. 드라마 안 보셨어요?"

"그, 그건 드라마라서 그런 거 아닌가요?"

"에이. 심의 규정 때문에 드라마가 다 못 담는 겁니다. 사람을 칼로 찌른 놈, 남의 집 담을 넘는 놈들한테 존댓말해서 되겠습니까? 얕보이기만 하지?"

"아아."

"그럼 위수 지역 상인들은 다 그런 겁니까?"

"한 사람이라도 잘 대해 주면 이런 말을 안 하죠! 아니, 그런 분들이 가끔 나타나시긴 합니다!"

"……오래 못 버티는 거군요."

조호연 병장은 고개를 끄덕였다.

"대부분 두 달을 못 버티고 가게를 빼시더라고요."
"주변 상인들이 압박을 하는 겁니까?"
"그건 잘…… 아, 하지만 한 번이라도 거길 다녀오면 가격을 더 높여 받습니다!"
PC방은 2000원, 치킨은 병아리를 잡은 것처럼 양이 적은데도 16000원, 소주랑 맥주는 병당 4천 원.
청담동에 가도 3천 원이면 소주 한 병을 마시는데 말이다. 심지어 생맥주는 팔지도 않는다.
그러다 4인 이상이면 1인당 18000원까지 가격이 낮춰지는 곰팡이 가득 핀 방에서 한숨 자고 다음 날 부대에 복귀하는 것이다.
"군인 메뉴판도 따로 있습니다!"
그게 더 환장할 노릇이다. 군인들만 오면 슬그머니 군인 메뉴판을 내밀고, 가족들과 함께 오면 일반인 메뉴판을 내민다. 그 일반인 메뉴판도 가격이 엄청 세지만 말이다.
"부대에 말은 안 해 봤습니까?"
"해 봤죠! 안 해 봤겠습니까?!"
하지만 간부들은 어쩔 수 없다는 말만 반복할 뿐이었다.
'어쩔 수 없다라……. 흐음.'
"진짜 저희도 사람답게 먹고 마시고 싶습니다! 억지로 끌려온 것도 좆같은데 씨발! 좆같은 위수 지역! 이 나쁜 사람들 좀 어떻게 해 주십시오, 형사님!"
조호연 병장 자신은 이제 군 생활이 얼마 안 남았으니 상관없다. 하지만 이제 막 입대한 이들은 무슨 죄로 이렇게 돈을 뜯겨야 한단 말인가?

"걱정 마십시오. 꼭 그렇게 될 테니 말입니다."

"……."

조호연 병장은 불타오르는 종혁의 눈을 보고 작은 희망을 가지기 시작했다.

"아무튼 이 정도면 될 것 같군요."

그냥 됐다 뿐일까. 덕분에 다음 단계로 넘어갈 수 있게 됐다.

"협조 감사합니다. 아, 나중에도 증인으로 출석해 주실 수 있겠습니까?"

"아. 그, 그건 좀……."

"괜찮습니다. 어차피 그때쯤이면 조호연 병장, 조호연 병장의 후임만 신경 쓸 수 없을 테니까요."

"아……!"

"그리고 이것도 있고요."

종혁은 옆에 놔둔 캠코더를 두드렸고, 그걸 본 조호연 병장은 생각에 잠겼다.

"부담스러우시다면 제가 부탁할 때 여기로 전화해서 오늘 하신 말을 다시 해 주기만 하셔도 됩니다. 연락처를 주시면 제가 이분께 전달해 드리겠습니다."

"박영일 사회부 부장……. 예, 제 번호는요……."

조호연의 연락처를 받아 적은 종혁은 몸을 일으켰다.

"얼른 들어가 보세요. 의심할 수도 있을 테니까요."

"예! ……아, 그런데 궁금한 게 있는데요."

"이렇게 따로 조사하면 될 걸 왜 대대 사병 전원에게 물었냐고요?"

"네."

"그건 지켜보시면 압니다."

아직은 확실치가 않았다.

하지만 예상이 맞다면 아주 치명적인 비수가 될 터.

싱긋 웃는 종혁의 모습에 조호연 병장은 입을 다물었다.

"그럼 정말 부탁드리겠습니다."

거수경례를 하려다가 고개를 꾸벅 숙인 조호연 병장이 카페를 나서자 종혁은 담배를 물며 일어섰다.

"개쌍놈의 새끼들……."

지이잉! 지이잉!

"예. 그쪽은 어때요?"

–야, 최 팀장. 이 새끼들 진짜 완전 개새끼들이다.

얼마나 화가 났으면 팀장이란 호칭까지 쓸까.

솔직히 종혁도 위수 지역 상인이 앞에 있으면 멱살을 잡고 묻고 싶다. 너희에겐 양심의 가책이란 게 없냐고.

최재수에게도 증언을 받았단 연락을 받은 종혁은 생각에 잠겼다.

"이 병사들만 그렇게 말하진 않았을 텐데 말이야……."

위수 지역의 폭리 문제가 어제오늘 일이 아니란 건 종혁도 대충 알았다.

전 사병이 성토를 하고 있음이 분명함에도 현 군부는 지침을 바꿀 생각이 보였다.

미래에는 결국 위수 지역을 폐지하면서 말이다.

이는 물론 미디어와 SNS가 발달하며 위수 지역 문제뿐만 아니라 다양한 군 문제들이 대두되면서 진행된 일이지만, 훗날 국방개혁의 일환으로 군부대마저 해체한다는 점을 고려하면 지금 왜 이렇게 고집스러운 태도를 일관하는지 이유를 알 수 없었다.

운전대를 두드리던 종혁은 동기에게 전화를 걸었다.

"어. 뭐 좀 묻고 싶은데, 보통 대대장 같은 거 하면 그 지역에서 몇 년 정도 있을 수 있냐? 아, 그래? 그렇게 오래 있지 않네? 땡큐. 아니야. 수고."

전화를 끊은 종혁은 이번엔 정용진 과장에게 전화를 걸었다.

"예, 과장님. 혹시 이기자 수색대대 대대장 성문식 중령의 자산 현황 좀 알 수 있을까요?"

—……왠지 이번에도 사건이 커질 것 같다는 예감이 드는 건 저 혼자만의 착각입니까?

"하하. 부탁드리겠습니다."

전화를 끊은 종혁은 창문을 내리고, 다시 담배를 물었다.

그렇게 약 30여 분의 시간이 흐른 후, 종혁은 정용진이 보내온 문자를 확인하고 웃음을 흘렸다.

"맞네. 뒷돈 처먹는 거."

혹시나는 역시나가 되었다.

공무원 월급이 거기서 거긴데 어떻게 아파트가 3채일 수 있을까. 게다가 아내 명의로 된 상가가 두 채고, 자식들은 미국과 일본에서 유학중이란다.

중령, 경찰로 치면 겨우 총경인데 말이다.

-성문식 중령의 장인이 시골에서 4천 평 규모 과수원 운영 중.

웃음밖에 안 나왔다.

"아오, 씨발 새끼들."

사건이 커졌지만 그건 문제가 아니다.

이 양심의 가책조차 없는 악마들을 뿌리 뽑기 위해선 어떤 수를 써야 할까 그게 문제다.

"……확실한 증거를 확보할 방법은 그것밖에 없지."

투견 사건 때처럼 그들 사이로 들어가는 것.

종혁은 글러브 박스에서 핸드폰을 꺼내 들었다.

"예, 종 사장님. 납니다. 요새 좀 어때요? 바쁘지 않으면 믿을 만한 애들 좀 추려 봐요. 나랑 사업 좀 하나 하게."

삼성클럽 사건 때 칼을 맞은 전직 아리랑치기 잡범 및 마사지 업소 사장 종배수.

드디어 이놈을 써먹을 때가 온 것 같았다.

* * *

휘이잉!

공허한 바람이 불어오는 화천 사내면 위수 지역의 거리

에 영웅본색의 휘파람 소리가 울린다.

"휘, 휘휘휘-!"

마치 주윤발처럼 선글라스를 낀 채 특유의 긴 파마머리를 코트와 함께 휘날리는 오십대의 종배수.

입에 성냥개비마저 문 그 모습에 그의 양옆에 있는 작은 키 건달 셔츠를 입은 두 사십대 중년인이 얼굴을 붉힌다.

"형님, 쪽팔립니다."

"시끄러워, 인마. 네가 낭만을 알아?"

"낭만 찾다가 얼어 죽겠는데요. 안 춥습니까?"

"……추워. 얼른 가자."

그들은 걸음을 재촉해 위수 지역 한구석 인테리어 공사가 벌어지는 공사 현장으로 향했다.

"크으!"

5층 모텔 건물과 3층 건물 세 개.

3층 건물은 PC방, 음식점, 오락실로 리모델링되고 있다.

"벅차다, 벅차. 이제 이게 우리 거란 말이지?!"

"우리 거 아니고 그 형님 거. 우린 시다바리. 바지사장."

짧은 곱슬머리 사내의 태클에 종배수는 손을 들었다.

"나도 알아, 인마! 짜식이 기분 잡치게. 씁."

"그래도 칼 맞을 만하네요. 이런 것도 떡 차려 주고."

머리를 빡빡 민 중년인의 말에 종배수의 입이 주욱 찢어졌다.

어디 여기뿐이겠는가. 양구와 다른 전방 군부대 위수 지역 한 곳에도 이런 공사가 이뤄지고 있다.

"흐흐흐. 거봐라. 사람이 착하게 살면 이렇게 복을 받는 거다, 이 짜식들아."

"어딜. 똥꼬 쪽쪽 팔아서 얻은 거지. 큰형님이 그 형님한테 매일 아침 안부인사 한 거 벌써 잊었어?"

"……마음에 안 들면 가, 인마. 가."

"삐졌어요? 뭘 또 이런 걸 가지고 삐진데?"

"삐지긴, 인마! 누가 삐져!"

"그럼 됐고. 우리 이거 확실하게 합시다. 양구는 내 겁니다. 방해하면 그땐 형님이랑 나랑 결단 나는 겁니다."

"하이고. 뭘 또 기어가서 일하려고 하냐. 그냥 여기서 편히 있다가 애들이 부르면 그때 가면 되는 거지."

"아……."

"이래서 너희가 대가리가 못 되는 거야."

"거 좀 아는 거 나왔다고 되게 폼 잡네."

"뭐 인마?"

투덕거리는 둘을 보며 빡빡이는 머리를 긁었다.

"그런데 그래도 되겠습니까? 그 형님이 농땡이 치는 거 알면 가만두지 않을 텐데요?"

움찔!

살벌 그 자체인 종혁을 떠올린 종배수와 곱슬머리는 입을 다물었다.

그런 그들에게 누군가 슬그머니 다가왔다. 저번에 종혁

이 삼겹살을 먹었던 가게의 사장이었다.

"이 동네에선 처음 뵙는 분들 같은데…… 어디서 오신 분들입니까?"

사장은 얼마 전 종혁이 군부대를 뒤집기도 하고, 경찰이 위수 지역을 뒤집기도 해서 외지인의 접근을 경계할 수밖에 없었다.

종배수는 위아래로 훑는 사장의 시선에 거만하게 턱을 세웠다.

"여기 동생들과 서울에서 사업을 좀 크게 하다가 여기가 그렇게 돈을 만진다고 해서 좀 벌러 왔습니다."

"서울?"

"여기뿐만 아니라 양구랑 다른 위수 지역에도 판 깔았으니 잘 부탁드립니다. 아, 이 명함이 아니네. 이거요."

명함을 받아 든 사장의 눈이 빛났다.

언뜻 무슨 호텔이라 적혀 있는 명함.

'양구랑 다른 위수 지역까지?'

아무래도 돈 좀 재대로 만졌던 양반 같다. 껄렁한 옷차림이나 서 있는 폼을 보면 일반적인 방법으로 돈을 번 사람 같지도 않았다.

하지만 그게 문제가 아니다. 위수 지역이 돈을 만진다고 해서 들어왔다고 했다.

M-컴퍼니 사장 종배수란 명함을 챙긴 사장은 의미심장한 표정을 지었다.

"여기 물가가 좀 센데 괜찮으시겠어?"

"어디요."

"응?"

"굴러왔으니 박혀 있던 돌들에게 인사해야지. 여기 상가번영회로 안내 좀 해 주쇼."

"……하하. 이거 뭘 좀 아시는 분들이 이웃으로 오셨네."

여태껏 슬그머니 굴러들어 지켜야 할 도리도 지키지 않은 채 장사를 하던 뜨내기들과는 다른 부류인 것 같았다.

"따라오쇼."

종배수는 돌아서는 사장의 모습에 두 동생과 눈을 마주치며 거만히 콧대를 세웠다.

'봤지?'

'여윽시 우리 형님!'

엄지손가락을 치켜드는 동생들의 모습에 종배수는 씨익 웃었다.

종혁이 봤다면 뒤통수를 후려쳐 버렸을 만큼 얄미운 미소였다.

3장. 드러나다

드러나다

―형님! 이 새끼들 아주 개새끼들입니다! 나도 이렇게는 장사 안 했어! 어?

“시끄럽고. 그래서 정말 상가번영회랑 접촉했다고요? 세 곳 다?”

―헤헤헤. 제가 누굽니까! 종배수 아닙니까. 종! 배! 수! 이런 놈들은 다 이 손바닥 안이라는 겁니다! 예?

“시끄럽다고 했죠? 알았어요. 일단 해 달라는 대로 해 줘요. 하지만 알죠? 거기서 종 사장님이 해야 할 일 잊으면…… 죽는다.”

―거, 걱정 마십시오! 주, 충성!

“충성은 씨발. 안 닥치지?”

―합! 드, 들어가십쇼!

통화를 종료한 종혁은 묘한 눈빛을 지으며 턱을 긁었다.

'비슷한 놈들끼리는 통하는 게 있다는 건가?'

아직 리모델링 공사도 끝나지 않았을 시점인데, 상가번영회와 접촉을 했다고 한다. 종혁이 용의 선상에 올린 상가번영회와 말이다.

가격 담합이 그리 쉽게 이뤄지겠는가. 분명 구심점이 있어야 했고, 종혁은 그걸 상가번영회로 봤다.

'그리고 그렇게 구심점이 있어야 군부대와 원활한 거래를 할 수 있겠지.'

"누구? 종배수?"

"상가번영회와 접촉했다네요. 세 곳 다. 회원으로 등록도 했고요. 굴러온 돌이라고 등록비로 천만 원씩 냈답니다."

운영회비는 별도였다.

"종배수 능력 좋네……."

"어? 종배수에 대해 아세요?"

"서울에서 형사밥 먹은 형사치고 삑치기의 대부를 모르겠냐. 지금도 그놈 전화 한 통이면 수십 명은 족히 몰려들걸?"

"자기 말로는 아리랑치기라던데요?"

"아리랑치기나 삑치기나."

한때 구성원만 수십 명인 아리랑치기 조직을 만들어 서울 경찰들을 골치 아프게 했던 종배수.

"명동파 밑으로 들어갔단 소식은 들었는데…… 걔가 네 정보원이 됐을 줄은 몰랐네. 대체 언제 목줄 채운 거야?"

"정보원은 아니고 그냥 뭐…… 흠. 아니, 맞나?"

매일 서울에서 발생하는 이런저런 정보를 전해 오니 반쯤은 맞다고 볼 수 있다.

"뭐 이런저런 이유로 인연을 맺게 됐어요."

-다음 소식입니다. 이택문 경찰청장이 인천경찰청의…….

사무실에 있던 형사들 전부가 한쪽 벽에 걸려 있는 TV를 응시한다.

"이야, 주한빈 그 개새끼 하나 때문에 여럿 나가리되는구마잉."

주한빈의 뒷배였던 인천경찰청장.

주한빈이 박 사장, 박호섭에게 받은 뇌물이 그에게 흘러 들어간 정황이 발견된 순간 인천경찰청장은 결국 자리에서 내려오는 수밖에 없었다.

거기다 박호섭의 뇌물 장부를 확보하면서 인천경찰청과 인천지방 경찰서 형사들도 줄줄이 목이 날아가는 중이다.

심지어 시의원, 구의원까지도 말이다.

그래서 현재 경찰 내부에서 TO가 많이 난 인천으로 향하려는 움직임이 활발하게 일어나는 중이었다.

-다음 소식입니다. 용산구 아동 성폭력 사건 피의자 박모 씨의 항소심을 법원에서 받아들이지 않으면서 원심이

그대로 유지된다는 소식입니다. 이에 국회에서는…….

"에이, 저 개새끼."
"씨발 새끼. 뭔 낯짝으로 항소를 해?"
종혁은 동감이라는 듯 고개를 끄덕였다.
'새끼. 늙어 죽을 때까지 거기에 있어라.'
몰래 손을 써서 악질 동성 성폭행범이 수감된 방에 집어 처넣었으니, 혹여 그 안에서 늙어 죽지 않더라도 성에 대한 가치관이 아주 변해서 나오게 될 거다.
"어떠, 소감이? 저놈 최 팀장이 잡은 놈이자너."
"정의는 승리한다?"
순간 사무실에 웃음꽃이 만발한다.
이렇게 범죄자가 제 죗값을 받는 모습을 볼 때마다 형사인 그들로서는 이 땅에 아직도 정의가 살아 있음에 웃음이 나올 수밖에 없다.
'흠. 투견 도박꾼들에 대한 결심이 모레였던가?'
도박을 주최한 주최 측이나 개장수들은 이미 진즉에 법정 최고형으로 처벌을 받았지만, 상대적으로 그 주목도가 적은 도박꾼들은 이제야 형이 집행될 예정이다.
그사이 별일이 없다면 이들도 최고형을 받게 될 거다. 일단 러시아와 미국이 얽혀 있는 사건이기도 하거니와 상습 도박에 대한 증거가 발견되면서 집행 유예도 없을 예정이었다.
"그런디 요새 위수 지역 건드린다고 하지 않았어? 이렇게 엉덩이 뭉개고 있어도 돼?"

은근한 눈으로 물어 오는 김판호의 모습에 종혁은 대답 대신 어깨를 으쓱였고, 김판호는 입맛을 다셨다.

띠리링!

"예, 간편신고관리과 특별수사 1팀장 최종혁 경정입니다. 무엇을…… 알겠습니다. 지금 바로 넘어가겠습니다. 충성. 전 과장님이 부르셔서 잠시 다녀올게요."

"뭔 일로?"

"글쎄요?"

용무는 밝히지 않았지만 대충 예상이 갔다.

"그럼 다녀오겠습니다."

서랍을 열어 어떤 서류를 챙겨 든 종혁은 정용진 과장의 사무실로 향했다.

달그락!

"차향 어때요? 얼마 전에 선물 받은 건데."

"그윽하니 좋네요."

제법 세심하게 차를 볶은 티가 물씬 풍기는 녹차다.

종혁은 사무실 한구석에서 세상 편하게 자고 있는 덕자를 보며 입을 열었다.

"윗분들께서 마케팅팀을 다시 맡아 볼 생각 없냐고 하던가요?"

움찔!

"……이런."

"청장님은 아닌 것 같으니 기획조정관님이나 차장님이시겠군요."

종혁이 쫓기듯 부서 이동을 했을 때 아무런 말을 하지 않은 전적이 있으니 정용진 과장을 통한 것이리라.

"최 팀장을 속일 수나 있는지 모르겠습니다."

"하하. 돌아갈 생각은 없다고 전해 주세요."

거대한 똥이 뿌려진 경찰 이미지 마케팅팀이다. 이택문의 원래 계획처럼 해체시키는 게 답이었다.

"그냥 홍보 쪽에서 흡수하는 게 가장 모양새가 좋을 겁니다."

종혁은 그러며 들고 온 서류를 내밀었다.

[경찰 이미지 마케팅 방안.]

"대충 생각나는 것들을 적어 놨습니다."

"……놓지 않고 있었군요."

"끝이 어쨌든 제가 처음으로 맡은 팀이었는걸요."

종혁의 담담한 눈을 빤히 응시하던 정용진은 고개를 끄덕였다.

"알겠습니다. 이건 제가 최 팀장 이름으로 윗분들에게 전달하겠습니다."

'후우. 이것도 끝났나.'

어이없이 부서 이동을 하면서 컴퓨터에 처박아 둬야 했던 경찰 이미지 마케팅 방안들과 이번 티엔쉔 사건을 통해 수정한 방안들.

'이 정도면 내가 아직 죽지 않았다는 것도 어필할 수 있겠지.'

그럴수록 고위 간부들은 종혁 본인을 욕심낼 터.

그렇다고 공으로 넘기는 것도 아니다. 누군가의 손에 의해 포장되어 그 누군가의 업적이 된다 한들, 안건의 기안자로는 '최종혁' 석 자가 새겨질 테니 말이다.

"감사합니다. 더 용무가 없으시다면 전 이만……."

"종배수. 믿을 만합니까?"

이번엔 종혁의 몸이 굳었다.

"……예. 믿을 만합니다. 자기 주제를 아주 잘 아는 놈이거든요."

그래서 선을 넘지 않기 위해 눈치가 비상하게 발달되다 못해 자기가 해야 할 일은 알아서 하는 놈이었다.

"곧 좋은 결과를 들고 찾아뵙겠습니다."

거수경례를 한 종혁은 사무실을 빠져나갔고, 정용진은 턱을 긁었다.

"왜지?"

종혁이 좋은 결과라고 말하니 기대심이 차오르는 것보다 덜컥 겁부터 들었다.

"흐으음."

정용진은 하품을 하며 깨어나는 덕자를 보며 생각에 잠겼다.

한편 사무실을 나선 종혁은 혀를 내둘렀다.

“대체 정보력이 어느 정도 수준인 거야?”

설마하니 종배수를 알고 있을 거라곤 생각하지 못해 경악했던 종혁.

‘흠. 이 정도라면 내가 겉으로 드러낸 일은 거의 다 알고 있는 셈이란 건데…….’

“재밌네.”

불쾌하지 않다면 거짓말이겠지만, 그래도 나쁘지 않다는 생각이 든다. 너무 감추기만 해서는 결국 의심과 경계를 받게 될 테니 말이다.

그래선 위로 올라가는 데 지장이 생길 수밖에 없다. 뭔가를 감추고 있는 놈을 위로 올릴 만큼 경찰 조직은 호락호락한 곳이 아니었다. 아마 정용진도 그런 의미로 굳이 종배수를 언급한 것일 터.

“정말 재밌어.”

정용진이 현재 어떤 그림을 머릿속에 그리고 있는지 몰라도 이러면 조금 더 적극적으로 나서도 될 듯했다.

“어, 종 사장님. 스텝 좀 빨리 밟읍시다. 어떻게 하자는 거냐면…….”

* * *

토요일 오후, 군복을 입은 일단의 무리가 위병소를 넘는다.

"후우."

"왜 그렇게 울상이야?"

"일병 김호일. 이렇게 외박을 나와도 결국 위수 지역이라서 말입니다."

또 위수 지역.

함께 나온 8명 모두의 낯빛이 굳는다.

그들이라고 위수 지역이 좋을까.

하지만 어쩔 수가 없다. 부대 안은 더 미쳐 버릴 것 같으니 말이다.

"정말 그때 재우 지인한테 확 불어 버릴 걸 그랬습니다."

움찔!

"씁!"

"음? 종혁이 형 말입니까? 무슨 일 있었습니까?"

이번에 며칠 타 부대로 지원을 나갔다 온 수고를 인정받아 오늘 외박을 인정받은 김재우. 그가 멀뚱멀뚱 쳐다보는 모습에 그들은 재빨리 고개를 저었다.

"사회에서 사고 치고 입대한 범죄자? 뭐 그 새끼 찾으러 부대에 오셨더라고."

"아, 그렇습니까?"

'하긴 종혁이 형은 대한민국 여기저기 다니니까.'

어쩔 때 보면 가수인 그들보다 더 전국을 누비는 것 같았다.

그렇게 재우가 별생각 없이 넘어가자 그들은 속으로 안

도의 한숨을 내쉬며 김 일병을 노려봤다.

“우 상병, 그럼 난 내 새끼들이랑 먼저 갈 테니까 복귀하면서 보자.”

“나도.”

“예. 충성. 열심히 빡세게 노시지 말입니다.”

“그럴 돈 있으면! 간다!”

그들이 멀어지자 우 상병은 김 일병과 재우를 툭 치며 부대 담벼락 근처로 갔다.

“넌 여기서 담배 안 피워 봤지?”

“이병 김재우. 그렇지 말입니다.”

“피워 봐. 죽인다.”

온갖 규제가 넘쳐 나고 흡연장 담배꽁초조차 깨끗하게 관리해야 하는 숨 막히는 부대를 더럽히는 그 배덕감은 해 본 사람만 안다.

그리고 위수 지역에서도 담배를 함부로 피울 수 없으니 여기서 피고 가는 게 낫다.

“그것도 첫 외출이나 그렇지 말입니다. 재우 두 번째지 말입니다.”

“……아, 그래?”

“아닙니다. 피워 보겠습니다!”

재우는 얼른 담배를 물었고, 이내 우 상병이 하는 말이 뭔지 알 것 같은 느낌이 들었다.

“흐흐. 어때, 죽이지?”

“이병 김재우. 그렇지 말입니다.”

"얼른 피우고 가자. 헌병한테 걸리면 좆된다."

그 말에 급하게 담배를 피운 그들은 담배 연기를 풀풀 풍기며 위수 지역으로 향했다.

우글우글!

군인과 민간인들로 가득한 위수 지역.

부대 밖에 나와서도 군복을 보자, 매섭게 눈을 빛내며 돌아다니는 헌병들을 보자 김 일병은 가슴을 콱 틀어막히는 것 같았다.

부대 밖임에도 부대 안인 것 같은 답답함.

휘황찬란한 네온사인이 환기를 시키지만 딱 거기까지다. 일병 월급으로는 모두 그림의 떡이었다.

"야, 저번 외출을 다녀온 동기가 말하길 여기에 새로운 곳들이 생겼다고 하거든? 거기 가자."

"거기라고 뭐가 다르겠습니까?"

"일단 신식일 거 아냐!"

"……그건 맞지 말입니다."

그래 봐야 거기서 거기일 테지만 말이다.

김 일병은 기대심을 버리며 우 상병의 뒤를 좇았다.

하지만…….

"어?"

몇 달 전, 아니 듣기론 몇 년 전에도 변함없이 자리하고 있던 허름한 건물들 사이로 우뚝 솟은 이질적인 신축 건물.

M-MOTEL이라는 필기체의 간판이 고급스러워 보인다.

"저기 원래 성춘장 아니었습니까?"

물이 나오지 않아서 아침에 샤워조차 할 수 없던 성춘장. 외박, 외출을 나온 사병들이 밀리고 밀리다 마지막으로 찾는 곳이었다.

"그, 그러니까?"

일단 방부터 잡아야 하는 그들은 홀린 듯 모텔로 향했다.

다 홀려서 온 건지 카운터에는 군인들로 가득했다.

"어서 오세요. 군인들을 위한 최신식 숙박 시설 밀리터리 모텔입니다! 세 분이신가요?"

"아, 안녕하세요! 네, 세 명입니다!"

"3인이면 온돌방밖에 이용 못하시는데 괜찮으실까요?"

"네, 네!"

그들은 마치 호텔처럼 유니폼을 입은 아리따운 카운터 아가씨에 정신을 차리지 못했다.

"숙박 요금은 6만 원부터 10만 원까지 있는데 어떤 방을 원하시나요? 10만 원 VIP 온돌룸은 안마의자와 월풀 욕조가 설치되어 있습니다. 또한 해외 축구와 야구의 시청이 가능합니다."

그리고 대실하는 방의 종류와 상관없이 1층에서 영화 DVD를 자유롭게 대여하여 감상 가능하다.

"허억!"

다른 곳과 똑같은 요금에 정신을 번뜩 차렸던 그들의 눈은 이어지는 말에 점점 커졌다.

지금 설명한 것의 반만 돼도 고민할 필요가 없었다.

"VIP룸이요! 아…… 그런데 혹시 카드 결제가 되나요?"

뒤늦게 당장 지갑에 현금이 부족하단 사실을 깨달은 우상병의 낯빛이 어두워졌다.

하지만 이어진 여직원의 대답은 정말 예상 밖의 것이었다.

"네, 물론입니다."

"되, 된다고요? 여, 여기요!"

"네, 감사합니다. 506호입니다. 이 카드키를 도어락에 대면 문이 열리고, 퇴실 시간은 내일 12시입니다. 좋은 시간 되세요."

"옙! 감사합니다!"

돌아선 그들은 재빨리 방으로 향했다.

"와!"

"으악!"

방이다. 진짜 방이다.

3명이서 레슬링을 벌여도 충분히 넓고 깨끗한 화이트톤의 공간.

눈이 파르르 떨린 김 일병은 재빨리 화장실로 달려갔다.

"끅!"

정말이었다. 2명은 충분히 들어갈 커다란 욕조와 비데가 달린 변기.

쏴아아아아!

"무, 물이…… 우, 우 상병님! 여기 좀 와 보시지 말입니다!"

"왜, 왜! 헉!"

폭포처럼 쏟아진다. 뜨거운 물도 펑펑 쏟아진다.

위수 지역 그 어느 모텔에서도 볼 수 없는 기적 같은 모습에 정신을 번쩍 차린 우 상병은 재빨리 리모컨을 찾아 커다란 TV를 향해 버튼을 눌렀다.

–와아아아아!

"지, 진짜 나온다. 맨유랑 리버풀 경기 재방송이 나온다고!"

"예에? 꺽?!"

김 일병은 뒷목을 후려치는 충격에 무릎을 꿇었다.

그리고 잠시 후 정신을 차리고 씻은 셋은 햇살을 머금은 듯 포근한 이불과 온몸을 노곤하게 녹이는 안마의자에 헤실헤실 웃었다.

"이, 이 정도면 10만 원이 절대 안 아깝지 말입니다."

"앞으로 외박, 외출은 무조건 여기다. 무조건!"

이런 모텔다운 모텔에서 잘 수 있는데 그깟 두 달 월급이 문제일까.

"고릉! 헉! 안 돼! 자면 안 돼!"

이제 고작 저녁 7시다.

"야, 우리 그냥 시켜 먹을까?"

"깐돌이네 말입니까?"

위수 지역 유일의 치킨 배달집. 비둘기를 튀겨도 그보

다 양이 많고 맛있을 것 같은 퀄리티는 생각만 해도 끔찍하다.

"……아니다. 나가자. 나 들어오는 길에 새로 오픈한 고깃집 봤어. 그런데 상호가 M고깃간이더라."

그 건물 3층엔 M차이나라는 간판도 있었다.

"에, 에이."

아닐 거다. 우연일 거다.

이 거지 같은 위수 지역에 이런 모텔이 있는 것만으로도 기적 같은 일인데, 이 정도 퀄리티의 고깃집이 있다?

"그건 진짜 상상 속에서나 벌어질 일이란 말입니다!"

그들을 착취 대상으로만 보는 위수 지역 상인들.

기대를 버려야 마음이 다치지 않는다. 부대를 나선 것에 의의를 두자.

부대 밖을 나올 때마다 되새기는 말이다.

어쩔 땐 차라리 나오고 싶지 않을 때도 있다.

하지만 못 견뎌서, 정말 견디지 못하기에 사람 취급을 받지 않을 걸 알면서도 나올 수밖에 없다. 이미 난 사람이 아니라 착취 대상인 군인일 뿐이라며 포기를 해 버렸다.

그렇기에 쓸데없는 희망을 가지면 안 된다.

그럼 괜히 마음만 다치기에, 앞으로 1년 넘게 남은 군생활이 더 힘들어지기에 희망을 가지면 안 되었다.

그런데 그게 진짜 현실이 되었다.

치이이익!

불판 위에서 노릇하게 구워지는 냉동삼겹살.

외박, 외출을 하면 언제나 질리도록 먹던 냉동삼겹살이다.

대량으로 조리하는 짬밥과 달리 굽자마자 먹을 수 있는 요리다운 요리이기에 선택권 없이 먹어야 했던 냉동삼겹살.

가격과 1인분 양도 다른 곳과 똑같다.

그런데…….

"저, 정말 제주 흑돼지 맞는 것 같지 말입니다."

고기의 때깔이 다르다. 냉동삼겹임에도 마치 생삼겹처럼 기름기가 번들거리는 영롱한 선홍빛의 자태.

"군인이야?"

"예?"

그들은 어슬렁거리며 다가온 종배수를 보고 낯빛을 굳혔다. 누가 봐도 곱게 늙은 것 같지 않은 외모 때문이다.

"팍팍 먹어, 인마들아. 다 먹고 나면 저기 오락실이나 PC방 가서 놀고. 니들이 팔아 줄수록 내 주머니가 두둑해지니까. 흐흐흐."

M-게임센터, M-PC&플레이스테이션.

"예…… 잘 먹겠습니다."

"그래, 그래. 옳지. 에이, 기분이다. 여기 한 점씩 먹어!"

"아, 아니!"

종배수가 싼 쌈을 억지로 먹게 된 김 일병은 당황했다가 이내 굳어 버렸다.

씁쓸한 상추 속에서 그 존재감을 확실하게 드러내는 풍부한 육향과 육질. 그 뒤로 아삭 씹히는 알싸한 마늘과 매운 고추의 향이 혀를 농락한다.

부르르!

'그래! 이게 삼겹살이지!'

이게 사회에서 먹던 진짜 삼겹살이었다. 아니, 그것보다 훨씬 맛있었다.

쌈의 마지막으로 보글보글 끓는 된장찌개를 떠서 입에 가져간 김 일병은 결국 눈물을 보이고 말았다.

"씨발."

이제야 드디어 착취 대상이 아니라 사람 취급을 받는 것 같아서 눈물이 펑펑 쏟아졌다.

한편 밖으로 나온 종배수는 묘한 표정을 지으며 손님들로 가득 찬 식당을 보았다.

"거참……."

대체 얼마나 시달린 건지 울지 않는 군인들이 없다.

그리고 그 눈빛들. 일평생 사람 취급을 받지 못하고 살아오다 겨우 사람 취급을 받았을 때서야 나오는 눈빛은 종배수에게 있어 너무도 익숙한 것이었다.

그 자신도, 젊었을 적 거둔 동생들도 다 저랬기에 익숙할 수밖에 없다.

"새파랗게 젊은 놈들이……. 아직 고생조차 제대로 못해 본 것들이……."

어디 배가 고파 라면을 훔치다 소년원에 들어가길 했을까, 풀빵 하나 사 먹겠다고 공장 하수구 청소를 해 봤을까.

고난 없는 시대에 태어나 풍족하게 누릴 것 다 누렸을 텐데도 사람 취급을 못 받는 짐승 같은 눈들이 된 것을 보자니 괜스레 짜증만 솟았다.

"쯧."

종배수는 씁쓸해진 입에 담배를 물었다.

치이익!

"응?"

종배수는 이쪽을 향해 다가오는 상가번영회 회장의 모습에 올 게 왔구나 혀를 찼다.

'고새 일러바쳤구만?'

"어흠. 오픈빨을 아주 잘 받습니다, 종 사장님. 그런데…… 이건 좀 말과 다른 것 같습니다만?"

그렇게 말했지만 사실 좀 애매했다.

가격을 낮춰 받은 것도 아니고, 오히려 높여 받는다. PC방은 시간당 1800원에, 오락실은 일반 게임이 5백원이다. 아마 이 위수 지역에서 가장 가격이 비싼 가게가 바로 종배수가 이번에 오픈한 가게들일 것이다.

하지만 속 내용물의 결이 너무 차이가 나니 다른 상인들이 벌써부터 긴장을 하는 것이었다.

"크흠. 아무튼 이렇게 동네 분위기 흐리면 안 좋아요."

"쯧쯧. 보소, 회장님. 장사하는 법 모릅니까? 몰라요?

다 이렇게 퍼 줘서 신뢰부터 얻어야 뭘 하든 할 거 아닙니까. 내가 박혀 있던 돌입니까? 누군 땅 파서 장사하나."
"아, 그 말은……?"
회장의 얼굴이 펴지자 종배수는 지갑에 있는 돈을 모두 꺼내어 쿡 찔러 줬고, 회장의 눈은 흔들렸다.
'수, 수표?'
분명 수표 몇 장이 끼어 있었다.
"원금 회수부터 합시다, 원금 회수부터. 어차피 이 대한민국이 망할 때까지 위수 지역은 사라지지 않을 텐데, 어?"
종배수는 방금 전 돈을 찔러 넣은 주머니를 툭툭 쳤다.
내가 잘되어야 당신 주머니도 두둑해지지 않겠냐는 뜻.
"으하핫! 역시 우리 종 사장님은 말이 통한다니까!"
"손님이나 팍팍 보내쇼. 우리 회장님 친구분들도 좋고. 내가 풀코스로 쫘악 대접해 줄 테니까."
"……하하."
"그보다 여기 대대장 성향은 어떻습니까?"
움찔!
"그건 왜?"
순간 회장의 말투가 날카로워진다.
"당연히 새로 왔으면 물주들 대빵한테 인사를 해야지. 장사하는 사람이 그것도 모릅니까? 상부상조해야 군인들도 더 외박, 외출을 팍팍 어?"

"어흠. 그런 걸 안 좋아하는 분이라서 잘……. 알겠습니다. 손님 문제는 차차 그렇게 합시다. 아무튼 수고해요."

종배수의 흉심을 알아차리지 못한 회장은 돌아섰고, 종배수는 멀어지는 그를 보며 피식 웃었다.

"대대장 맞구만? 그리고 네놈이구만?"

뇌물을 받아 처먹는 놈과 군부대로 통하는 창구가 말이다.

"그리고 차차 그렇게 하긴. 내가 2주일 안에 온다에 내 모가지를 걸어, 인마."

어디 뇌물을 한두 번 줘 볼까. 다물어진 아가리를 찢어가며 뇌물을 구겨 넣어 여태까지 살아남은 게 종배수 본인이다.

하지만 이번에 뿌릴 건 뇌물이 아니라 독이다. 장막 뒤에 숨어 있는 기생충들을 무대로 끌어낼.

원래 이곳에 올 때까지만 해도 계획은 외박, 외출을 나온 군인들이 찾을 수밖에 없게 해서 매출이 급감한 상인들의 반발을 끌어내는 한편, 상가번영회가 보는 그만큼의 손해를 대신 채워 주며 윗선과 연결되려고 했다.

하지만 눈물을 뽑아내는 아들뻘 군인들을 보자니 속이 터져서 지체할 수 없을 것 같았다.

종혁도 계획에 작은 변화를 줬으니 지체할 수도 없었다.

"자, 그럼 뿌려 보실까?"

제대로. 확실하게. 밑바닥 세계의 방식으로.

이번 일에 한해 종혁이 허락한 무한한 실탄.

종배수는 밑바닥 세계의 정수를 보여 줄 생각이었다.
"까짓것 돈 많이 썼다고 화내시면 몇 대 맞지, 뭐."
그래도 죽지는 않을 것 같다는 촉이 꿈틀거리자 종배수는 핸드폰을 들었다.
"어, 그래. 나다. 지금 하는 일 없으면 나랑 일 좀 하나 하자. ……올라오라면 올라와, 인마! 이놈의 새끼가 말이 많아!"

* * *

오늘 연대장과의 약속이 있어 씻고 가기 위해 관사로 돌아온 성문식 대대장은 콧속을 파고드는 구수한 된장국 냄새에 살짝 놀랐다.
"어머, 이제 오세요?"
부엌에서 앞치마를 두른 세련된 사십대 중년 여성이 당번병과 함께 걸어 나오자 대대장은 미간을 좁혔다.
"평일에 여기까지 왜 왔어? 때 되면 어련히 올라갈 텐데."
"아내가 남편 만나러 오는 데 이유가 있어야 오나요? 그런데 그건 뭐예요?"
"……김 상병은 차 대기시켜 놔."
"수색!"
당번병이 나가자 대대장은 아내를 보며 한숨을 내뱉었다.

"또 얼마가 필요한 건데?"

"어머어머. 이 양반 말하는 것 좀 봐. 누가 보면……."

"얼마야?"

"애들 생활비도 있고, 당신 장인어른, 장모님 건강검진……."

"얼마!"

"……천만 원이요."

뿌득!

"알았어. 곧 붙여 줄 테니까 가 봐. 일하는데 괜히 방해하지 말고. 나도 평일엔 숨 좀 쉬자."

"뭐예요? 내가 당신을 숨 막히게 한다는……."

"가. 내 입에서 험한 말 나오기 전에."

"……호호. 주말에 봐요옹. 사랑해용-!"

아내가 문을 닫고 나가자 소파에 털썩 앉은 성문식 대대장은 한숨을 길게 내쉬었다.

"진급만 아니었어도 벌써 치워 버렸을 텐데……."

군대에서는 이혼도 하나의 흠이 된다.

가정도 다스리지 못한 장교가 어떻게 병사들을 다스릴 수 있을까. 라이벌들에게는 아주 먹음직스런 흠집이었다.

"옛날엔 참 예뻤는데 어쩌다 이렇게 됐는지."

한참 혈기 넘치던 초임 장교 시절 대민봉사지원을 갔을 때, 제 부모 농사일을 돕기 위해 드러낸 그 뽀얗고 하얀 다리에 눈이 돌아 버리지만 않았어도 어쩌면 더 나은 결혼 생활을 했을지도 몰랐다.

"그랬다면 자식새끼들도 달라졌겠지."

하도 사고만 치기에 유학을 보내 버린 자식들.

"쯧."

'그나저나 천만 원이라……. 내일이나 모레에 상가번영회 회장과 자리를 잡아야겠군.'

얼마 전에 성의를 받긴 했지만 어쩔 수 없었다.

아직도 구수한 냄새를 풍기는 부엌을 힐끔 본 대대장은 화장실로 향했다.

부우웅!

저녁이라 한적한 국도.

성문식 대대장은 운전대를 잡은 당번병을 향해 입을 열었다.

"그 시계 아직 못 구했지?"

유럽에 놀러 간 사단장 아드님이 첫 선물로 사 왔다고 은근히 자랑을 하던 시계. 한국에는 들어오지 않는 라인이라서 여러 고위 장교들의 애간장만 닳게 한 놈.

"사, 상병 최진만. 죄송합니다. 아무리 찾아도……."

"더 찾아봐. 희귀한 건 어떻게든 가지려고 하는 게 한국 사람들이잖아."

그건 본인에게도 해당되는 말이었다.

"추, 충성."

'쯧. 그것만 구하면 차기 연대장이 되는 데 큰 힘이 될

수 있을 텐데.'

시계를 구해서 연대장에게 가져다 바치기만 해도 큰 점수를 딸 수 있지 않겠는가.

'아니면 내가 사단장님 눈에 들 수도 있지.'

입가에 의미심장한 미소가 피어나던 성문식 대대장은 이내 얼굴을 찌푸렸다.

쿵짝쿵짝!

뒤에서 들려오는 커다란 음악 소리.

힐끔 뒤를 돌아본 성문식 대대장은 저 멀리서부터 휘황찬란한 불빛을 내뿜으며 달려오는 차를 발견할 수 있었다.

"이 동네에 저런 놈들도 있었군."

저런 놈들을 낳고도 미역국을 먹었을 부모를 생각하니 같은 부모로서 한숨밖에 안 나왔다.

"속도 줄여."

"상병 최진만. 속도 줄이겠습니다."

부아아앙!

"끼얏호-!"

"이 새끼들아! 우린 여행 간다-!"

옆을 따라붙은 차에서 사내들이 차창 밖으로 몸을 빼혀를 내밀거나 중지를 세운다.

"저, 저!"

"신경 쓰지 말고 운전에 집중해."

연대장을 만나러 가는데 저런 놈들을 상대할 시간이 있

을까.

"상병 최진만. 알겠습니다."

입술을 꾹 다문 당번병은 속도를 조금 더 줄였고, 그런 그들의 반응에 흥미가 떨어진 것인지 요란하게 꾸며진 차는 속도를 높였다.

그 순간이었다.

끼이익!

옆 차선에서 칼치기로 치고 들어온 상대 차.

놀란 당번병은 다급히 브레이크를 밟았다.

"헉!"

빠아앙!

'야, 이 개새끼들아!'

아마 뒤에 성문식 대대장만 없었더라도 그렇게 외쳤을 것이다.

하지만 다른 이유로도 입을 다물 수밖에 없었다.

끼이익!

경적 소리가 거슬린 것인지 브레이크를 밟은 요란한 차에서 염색과 문신을 한 사내들이 내린다.

"흡?! 대, 대대장님!"

'빌어먹을.'

"……나가서 진정시켜."

"하, 하지만…… 힉?!"

터엉!

한 사내가 차를 걷어찬다.

“씨발. 깜짝 놀랐잖아!”

“하, 이 씨발. 꼰대들! 어이, 나와 봐! 나와 보라고!”

텅! 텅텅!

차를 걷어차거나 문손잡이를 잡아당기는 양아치들.

“이런 씨!”

대대장의 압박을 못 이긴 당번병은 다급히 문을 열고 나가려 했지만, 무서워 차마 손잡이를 젖히진 못했다.

그렇게 반응을 보이지 않아선지 난동을 부리던 사내들의 팔과 다리가 이내 힘을 잃는다.

‘가, 가려는 건가?’

그러나 그건 큰 오산이었다.

“야, 나와 봐.”

당번병과 성문식 대대장은 앞으로 나서는 사내가 꺼내 든 칼에, 그 칼이 타이어를 향해 휘둘러짐에 경악을 했다.

“마, 막아……!”

“이 씨발 꼰대들아! 심장 떨어지는 줄 알았잖아!”

콰악!

“미친!”

‘오늘 약속!’

성문식 대대장은 눈앞이 깜깜해졌다.

그때였다.

부우우웅!

뒤에서 다가오던 고급 세단 한 대가 그들을 지나쳤다가

멈춰 서며 세 명의 중년인들이 내린다. 종배수였다.

"이놈의 새끼들!"

"꼰대들은 또 뭐야?"

"꼬, 꼰대?"

어이없다는 듯 웃음을 터트린 종배수는 양아치들에게 윙크를 하였고, 양아치들도 살짝 고개를 끄덕였다. 그 찰나의 순간이 지나자 종배수는 품에 손을 넣어 권총처럼 생긴 무언가를 꺼냈다.

"그래, 꼰대다. 이놈의 새끼들아!"

종배수는 가소롭게 웃으며 방아쇠를 잡아당겼고 이내 총구에서 하얀 연기 같은 게 뿜어져 나왔다.

좌아아아아아!

"아악, 내 눈!"

"끄아아악!"

눈을 잡고 바닥을 뒹군 양아치들은 헐레벌떡 요란한 차에 올라타 차를 출발시켰고, 코웃음을 친 종배수는 대대장의 차로 향했다.

"어이구. 이거 타이어 갈아야겠네. 이봐요, 괜찮습니까?"

벌컥!

"아악! 타이어!"

그제야 헐레벌떡 내린 상병은 찢겨져 바람이 빠지는 타이어를 보곤 머리를 움켜쥐었고, 따라 내린 성문식 대대장은 종배수에게 다가갔다.

"구해 주셔서 감사합니다. 덕분에 살았습니다."

"허허. 뭘요. 다 돕고 사는 거 아니겠습니까. 그런데…… 군인이신가 봅니다?"

"크흠. 성문식 중령입니다."

"성문식? 흠. 어디서 들어 본 이름인데……."

다 알고 있음에도 천연덕스럽게 모른 척한 종배수는 이내 신경을 끄는 듯한 모습을 보였다.

"뭐 됐고. 그보다 스페어 타이어는 있습니까? 아니면 견인차를 불러야 할 텐데……."

대대장은 움찔 몸을 굳혔다.

그러면 늦는다. 그는 급히 당번병을 봤다.

"10분 안에 타이어 교체 가능하지?"

"사, 상병 최진만! 최, 최대한 빨리 해 보겠습니다! 으악!"

"으음."

성문식 대대장은 트렁크로 달려가다 넘어지는 당번병의 모습에 미간을 찌푸렸고, 종배수는 눈을 빛냈다.

"군인이 양복을 입은 것 보니 아무래도 어디 약속을 가시는 것 같은데, 같은 방향이면 제 차 타고 가시죠? 우린 춘천 쪽으로 갑니다."

춘천. 성문식 대대장이 가야 할 곳이었다.

"아닙니다. 이미 신세를 졌는데 그렇게까지 할 순 없습니다. 괜찮습니다."

"저도 괜찮습니다. 한국인끼리 정이 있는데 어려울 때 돕고 사는 거죠. 혹시 또 압니까? 이후로 제가 중령님에게 도움을 받을 일이 있을지?"

"으음."

성문식 대대장은 고민을 했지만, 결국 답은 하나였다.

"……그럼 신세 좀 지겠습니다."

모르는 사람에게 더 신세를 지는 것보다 연대장과의 술자리가 더 중요했다. 그렇게 차에 오른 성문식 대대장은 살짝 눈매를 좁혔다.

"허허, 미안합니다. 좀 어지럽죠? 옛날에 제 호텔에 머무시는 분들에게 이벤트 형식으로 이것저것 팔다 보니……."

종배수는 뒷좌석에 널려 있는 카달로그를 정리하기 시작했다.

"아, 가는 길에 심심하시면 독서 좀 하시겠습니까?"

종배수는 대답도 듣기 전에 카달로그를 안겨 주며 운전석을 향해 입을 열었다.

"뭐해? 출발 안 하고."

"거 성질 더럽게 급하네. 알았어요, 알았어."

"뭐, 인마? 이놈의 자식이……."

"자, 출발합니다. 아, 형님. 춘천 쪽은 어떡해요? 거긴……."

'으음.'

그들이 대화를 시작하자 낙동강 오리알이 된 성문식 대대장은 결국 카달로그에 시선을 돌렸다.

'흠. 요새 호텔에선 이런 것들도 파는 건가.'

핸드백이나 정장, 구두, 시계, 장신구 등 호텔에서 왜 파는지 모를 명품들이 카달로그 안에 가득 있다.

"음? 헉!"

별생각 없이 한 장, 한 장 넘기던 대대장은 어떤 시계 사진을 발견하곤 눈을 부릅떴다.

"왜요? 무슨 일 있습니까? 아, 어두워서 잘 안 보이시나?"

"아, 아닙니다. 그보다 이 시계도 팔았던 겁니까? 제가 알기로 이건 한국에 들어오지 않는 라인이라고 알고 있습니다만."

종배수는 다시 눈을 빛냈다.

입질이 오고 있다.

"어디 시중에서 흔히 구할 수 있는 것들로 손님을 유치할 수 있겠습니까. 희귀한 것들로 쫘악 깔아야 손님이 오지요."

뇌물도 그렇다.

뇌물은 뭐니 뭐니 해도 머니가 최고지만, 한 번에 몇천만 원 턱 내놓을 게 아니라면 차라리 이런 희귀한 것들이 좋다. 시중에서 쉽게 구하기 힘들거나 해외에서만 구할 수 있는 것.

'그럼 그 쉐끼들이 껌뻑 죽지, 죽어.'

성문식 대대장도 곧 껌뻑 죽을 것 같았다.

종배수는 슬쩍 콧대를 세웠다.

"왜요? 필요한 거 있으면 구해 드릴까?"

"이거 초면에 큰 실례를 하는 거 아닌가 모르겠습니다."

"괜찮아요. 다 돕고 사는 거지. 연락처나 주쇼. 이건 내 명함."

"저도 여기 있습니다."

교환한 명함을 받아 든 종배수는 깜짝 놀라는 표정을 지었다.

"허어……."

"왜 그러십니까?"

"아니요. 거참…… 우연도 이런 우연이 있나? 이거 우리가 인연인가 봅니다."

"음?"

"반갑습니다. 수색대대 근방 위수 지역에서 작게 모텔이나 PC방을 하는 M컴퍼니 사장 종배수입니다."

성문식 대대장의 눈이 살짝 흔들린다.

"……그랬습니까?"

"허허. 이거 대대장님 휘하 장병들 덕분에 잘 먹고삽니다. 그래서 언제 한번 인사를 드려야겠다 생각했는데…… 아, 이래서 이름이 익숙했구만?"

"인사…… 말입니까?"

성문식 대대장의 눈에 경계심이 서리자 종배수는 능글맞게 웃었다.

"사병들 외출, 외박이 많아야 제가 더 돈을 벌지 않겠습니까, 허허허. 사병들 좀 팍팍 내보내 주십시오."

"아아."

"흠. 이거 완전히 모르는 사이도 아닌 것 같으니 최대한 빨리…… 잠깐, 어떤 시계라고 했지요? 아, 이거? 야, 지금 트렁크에 롤렉스 있냐?"

"롤렉스요? 있을걸요? 그, 그 손님들이 롤렉스는 싸구려라고 안 샀잖아요."

"맞아, 그랬지. 그 배때지가 돈으로 채워진 개새…… 으허헛. 이거 실례."

"음. 아닙니다."

"형님, 춘천 시내에 도착했습니다. 아, 중령님 가실 목적지가 어딥니까? 가까운 곳이면 데려다 드릴까요?"

"아닙니다. 난 여기서 내려 주면 됩니다."

솔직히 얻어 탄 김에 목적지까지 데려다 달라고 하고 싶은 마음이 굴뚝이지만, 그보단 시계가 먼저다.

"시계 좀 볼 수 있겠습니까?"

"예. 뭐 그럽시다. 내리시죠."

차에서 내린 종배수는 트렁크를 열었고, 성문식의 눈이 파르르 떨렸다. 방금 전 대화는 진실이었다.

정말 커다란 박스 안에 빼곡히 채워져 있는 롤렉스 시계 박스들.

귀금속이나 핸드백도 마치 쓰레기처럼 박스째로 널브러져 있다.

"어디 보자아아. 아, 이거네! 이거 맞지요?"

"……맞군요."

'이걸 이렇게 구하다니!'

구하려고 할 때는 그렇게 찾을 수 없던 놈을 이렇게 쉽게, 그것도 이렇게 우연한 기회에 얻게 될 거라곤 생각조차 못한 성문식은 입이 찢어지는 걸 막느라 정신을 차릴 수 없었다.

'위수 지역의 상인이라고 했지?'

성문식 대대장의 머리가 빠르게 돌아갔다. 솔직히 원하던 걸 얻긴 했지만, 돈을 주려니 아까웠기 때문이다.

거기다 자신과 연관이 깊은 위수 지역의 상인이지 않은가.

"큼. 내가 지금 현금이 없으니 부대에 복귀하면……."

"아이고. 어디 팔 곳도 없는 재고 가지고 돈은 무슨……. 됐어요, 됐어."

"허허. 그렇습……."

"정 뭐하시다면 수색대대 근방뿐만 아니라 양구나 여기 춘천에도 제 사업체들을 오픈을 했으니 다른 동료분들에게 소문이나 쫘악 내 주십시오."

움찔!

돌아서던 성문식은 놀란 눈으로 종배수를 봤다.

"사업을 크게 하시는군요?"

종배수는 그의 눈에 들어차는 욕심에 씩 웃었다.

"여기 동생들이랑 이래저래 먹고살기 위해 노력하는 거지요. 아, 이것도 가져가십시오. 이게 그 모델의 아들 모델인데, 아빠랑 아들이랑 같이 있어야지 않겠습니까? 어어. 괜찮아요. 이 종배수 그렇게 속 좁은 놈 아닙니다?"

"흐흠. 그렇게 말하신다면야……. 언제 한번 날 잡아서 식사라도 하지요. 그럼 난 이만."

고개를 까딱인 대대장은 마침 지나가는 택시를 잡아타고 멀어졌고, 그 모습을 흐뭇이 바라보던 종배수는 돌연 빡빡이의 뒤통수를 후려쳤다.

"야, 이 빙신아. 거기서 말을 왜 더듬어?! 내가 얼마나 놀랐는지 알아, 인마?!"

"오, 오랜만이라 그랬습니다. 그, 그래도 그냥 넘어갔잖아요!"

"그래서 네가 지금 숨 쉬고 있는 거야, 짜샤. 쯧."

빡빡이는 미안하다며 머리를 긁었고, 곱슬머리가 입을 열었다.

"그나저나 이 정도면 코를 꿴 거겠죠?"

"당연하지, 인마. 방금 눈빛 못 봤어? 아주 눈깔이 뒤집어져서는…… 흐흐흐."

이제부터 성문식 대대장은 트렁크에 있는 물품들을 어떻게 하면 다 선물로 받을 수 있을까 머리를 엄청 굴릴 게 뻔했다.

"그런데 안 들키겠죠? 그것들이 짜가란 게?"

그랬다. 지금 트렁크에 있는 건 죄다 진품과 똑같은 짝퉁이었다. 이번에 동대문과 남대문 일대 짝퉁들이 싹 쓸려 나가면서 정말 어렵게 구한 것들이었다.

"씁! 장사 한두 번 해 봐?"

진짜를 만든 사람이 와도 구분하지 못한다는 것에 종배수는 손목을 걸 수 있었다.

'크. 역시 이 방법은 언제나 통한다니까?'

위험에 처한 상황에서 구해 주는 것부터 시작해, 진짜 같은 가짜를 들이밀며 목표물과 원만한 교우 관계를 쌓는 방법.

이게 밑바닥의 방식이었다.

"그럼 그 형님한테 전화해야 되는 거 아닙니까?"

"아차! 그런 건 빨리 말해야지!"

종배수는 얼른 핸드폰을 꺼내 들었다.

"예, 형님! 에헤헤. 잘 계셨습니까?"

곱슬머리와 빡빡이는 굽실거리는 종배수의 모습에 고개를 저었다.

* * *

"허허. 수고했어."

자신의 어깨를 두드리는 연대장의 손길에 성문식 대대장은 고개를 더 숙였다.

그런 그의 입은 귀까지 찢어져 있었다. 오늘 함께 자리한 다른 대대장들이 질투심 가득한 눈으로 쳐다보는데 기쁘지 않을 리가 없었다.

'됐다!'

"앞으로도 충성을 다하겠습니다."

성문식의 손목에 걸린 아들 라인의 손목시계를 본 연대장은 피식 웃었다.

"그래, 조만간 연락할 테니 식사라도 한 끼 하지."

"예! 조심히 들어가십시오! 수-색!"

"충성."

그렇게 연대장이 차를 타고 멀어지자 성문식은 다른 대대장들을 주욱 둘러보며 입술을 비틀었다.

"쯧!"

"에잉!"

'패배자들 같으니.'

코웃음을 치며 자신의 차로 향한 성문식 대대장은 안절부절못하는 당번병을 무시하며 차에 올랐다. 그리고 누군가에게 전화를 걸었다.

"어, 나 대대장인데. 지금 위수 지역에 M컴퍼니라는 회사가 있나?"

-……아. M모텔, M고깃간 등을 말하시는 겁니까? 거기라면 다녀온 병사들의 호평이 자자해서 알고 있습니다. 참고로 M은 밀리터리의 약자라고 합니다.

"그래, 아마 거기일 거야. 뭐하는 인물인지 아나?"

-위수 지역에서 흘러나온 말에 의하면 서울에서 호텔 사업을 크게 하던 인물이랍니다. 그리고…… 제 동기들에게 말하길 양구와 다른 위수 지역에도 사업을 벌이고 있는 것 같습니다.

대대장의 눈빛이 번뜩였다.

'진짜였단 말인가?'

그렇다면 대어다.

"알았어. 끊어."

통화를 종료한 대대장은 담배를 물며 생각에 잠겼다.

"이게 우연일까, 아님 의도적일까."

우연으로 치기엔 너무 공교롭고, 의도적이라고 치부하기엔 너무 치밀하다.

대대장은 종배수가 후자 쪽이길 바랐다. 그래야 말이 통할 테니까.

"흠. 그나저나……."

그런데 그보다 신경이 쓰이는 건 이렇게 돈 많은 인물이 위수 지역에 왔는데도 말 한마디 하지 않은 상가번영회 회장의 심보였다.

"자기 자리가 흔들릴까 무서워한 건가."

피식 웃은 성문식 대대장은 다시 핸드폰을 들었다.

"납니다. 사병들을 위해 이런저런 수고를 해 주신 것에 대한 보답을 하고 싶으니 내일 모레 식사나 합시다. 아, 이번에 위수 지역에 새로운 분이 오신 것 같던데……. 예, 그럼 그때 보는 걸로 합시다. 난 참치회가 좋을 것 같군요. 예, 끊습니다."

전화를 끊은 성문식은 운전석에 앉은 당번병을 못마땅하게 쳐다보다 입을 열었다.

"출발해."

"예, 예! 출발하겠습니다."

한편 그보다 몇 시간 전.

종배수와의 통화를 종료한 종혁은 핸드폰을 오묘한 눈

빛으로 응시했다.

"이 새끼 진짜 능력 좋네."

돈을 좀 쓸 수도 있다고 말한 지 고작 나흘이 흘렀을 뿐인데 대대장과 안면을 텄다. 아니, 그 수준을 넘어 코를 꿰어 버렸다.

이제 남은 건 그들만의 세상에, 그들만의 은밀한 커뮤니티에 들어가는 것뿐이었다.

생각을 정리한 종혁은 내선 전화기를 들었다.

"예, 과장님. 최 팀장입니다. 제가 말한 시기에 국세청 움직일 수 있겠습니까?"

이제 끝을 볼 시기가 얼마 남지 않은 것 같았다.

* * *

이틀 후, 춘천의 한 일식집.

수색대대 인근 위수 지역 상인이자 상가번영회 간부들이 모여 있다.

"오늘 대대장이 부른 이유가 뭔 것 같아요?"

누군가의 물음에 상인들의 낯빛이 어두워졌다.

그쪽에서 먼저 부를 이유는 한 가지뿐이었다.

"너무하네! 성의를 전달한 지 이제 고작 보름밖에 안 됐는데! 우리보고 굶어 죽으라는 거야, 뭐야! 확 진짜, 그냥 받아 버려?"

"자자, 대대장들이 이러는 거 한두 번 봅니까? 아무래도 급전이 필요한 것 같은데 적당히 어울려 줍시다."

상가번영회 회장의 다독임에 그들은 혀를 차며 분기를 가라앉혔다.

"그보다 종 사장은 왜 부른 거랍니까?"

슬그머니 나타나 호구들을 모두 뺏은 종배수.

부대 밖을 나온 사병들이 죄다 그의 가게에 먼저 들르다 못해 줄을 서니 매출이 바닥을 찍고 있었다. 아무리 원금 회수부터 하자고 양해를 구했다지만, 이러다간 말라 죽을 판이었다.

하지만 그건 문제가 아니다. 돈을 밝히는 놈이니 곧 자신들이 만든 분위기에 편승할 테니 말이다.

문제는 종배수가 이 만남에 끼었다는 것이다. 군 간부들과 만나는 건 오직 그들 상가번영회의 몫임에도 말이다.

"글쎄요. 아무래도 외출, 외박을 다녀온 사병들의 이야기를 들은 게 아니겠습니까?"

"그렇다고 확인도 되지 않은 인간을 불러요? 대대장 미친 겁니까?"

"어허. 말조심……."

스르륵!

미닫이문이 열리며 종배수가 들어온다.

"허허. 이거 늦었습니다."

"크흠."

방금까지 종배수에 대한 이야기를 했던 상인들은 불편

한 얼굴로 고개를 돌렸고, 종배수는 옅게 웃으며 회장에게 목을 까딱였다.

"허허. 왔습니까, 종 사장."

"예. 초대해 주셔서 감사합니다."

종배수는 그들이 비워 놓은 맞은편 자리에 엉덩이를 깔고 앉았다.

"아니, 그 자리는……!"

"음? 왜요? 문제 있습니까?"

"당연히……."

문제가 있다. 종배수가 앉은 자리는 곧 있으면 도착할 성문식 대대장의 옆자리였기 때문이다.

옆에 누가 앉는 걸 싫어하는 성문식 대대장이 편히 앉게끔 비워 놓은 옆자리들.

당연히 자리를 옮기라고 해야 했지만…….

'알아서 점수를 깎겠다는 데 왜 말려?'

같은 위수 지역 상인이라도 종배수는 반쯤 공공의 적이었다.

그 순간 문이 열리며 성문식 대대장이 모습을 드러냈다.

"다들 먼저와 계시는군요. 종배수 사장님도."

"오, 오셨……."

"아이고!"

몸을 일으키는 상인들보다 먼저 일어나 달려든 종배수가 성문식 대대장의 손을 덥썩 잡았다.

"오셨습니까! 또 뵙습니다, 성문식 중령님. 아니, 성문식 대대장님!"
"그래요. 며칠 만이군요."
"이건 재회를 기념하기 위해 약소하게나마 준비한 제 성의입니다. 흐흐흐!"
'대, 대체 언제?!'
사람들은 입을 떡 벌렸고, 성문식 대대장은 작은 가방 속에 든 두툼한 백화점상품권 봉투와 음흉한 웃음소리에 자신의 판단이 틀리지 않았다며 입술을 비틀었다. 종배수는 딱 자신이 생각하는 부류의 인물이었다.
'기회주의자.'
성문식 대대장은 일이 쉽게 풀리겠다며 안심했다.
바로 옆방에서 듣고 있는 사람들이 있는 줄도 모른 채 말이다.

"……이야."
종배수가 미리 장소를 알려 줘서 잡을 수 있었던 방에 앉아 목소리를 낮춘 오택수와 최재수는 옆방에서 들려오는 종배수의 현란한 혀 놀림에 감탄을 할 수밖에 없었다.
"이 새끼 혓바닥이 예술이네."
이제 그 누가 있어 종배수가 빨락지라는 걸 의심할까. 솔직히 방금 전까지만 해도 약간 불안했던 그들은 마음을 놓을 수 있었다.
그런데 그보다 대단한 건 이런 종배수를 저들 사이에

꽂아 넣은 종혁이었다.

'대단한 놈.'

-내가 여러분을 이렇게 모은 건…….

종혁은 먹던 참치회를 내려놓으며 귀를 기울였다.

'과연 오늘 대어가 걸리려나.'

어쩌면 단순한 모임일 수 있는 오늘의 자리.

그러나 종혁은 작은 기대를 품었다.

"내가 여러분을 이렇게 모은 건 그동안 여러분께서 부대 군 장병들을 잘 먹이고 재워 준 것에 대해 감사의 뜻을 표하기 위해섭니다."

"아이고, 아닙니다! 아들 같은 장병들인데 당연히 그래야지요!"

"그런데……."

손을 젓던 상인들은 여지를 두는 성문식 대대장의 말에 낯빛을 흐렸다.

"하아. 거참, 이런 말을 꺼내도 될는지……."

"말씀……."

"말씀하시죠, 대대장님. 대체 어떤 놈이 우리 대대장님께 고충을 안겨 준 겁니까. 어떤 놈이!"

회장은 자신이 할 말을 낚아챈 종배수를 경악하며 쳐다봤고, 성문식 대대장은 너냐는 듯 상인들을 노려보는 종배수의 모습에 미소를 지었다.

"고충이라면 고충이겠지요. 이제 곧 봄이라 부대를 정

비해야 되는데…….”

“부대 정비. 음, 그거 참 골치 아픈 일이지요.”

“오, 아십니까?”

“허허. 이래 봬도 육군 만기 병장 출신입니다, 제가.”

“그러셨습니까? 정말 훌륭한 분이셨군요.”

“아닙니다. 겨우 병장이 어찌 나라를 위해 젊음과 청춘을 다 바친 대대장님의 희생만 하겠습니까.”

주거니 받거니.

상인들은 그 가관도 아닌 모습에 이를 떡 벌렸다.

이러다간 종배수가 대대장과의 대화 창구가 되겠다는 위기감이 회장의 뒷목을 강타했다.

“그런 거라면 두 팔 걷어붙이고 도와 드려야죠. 저희가 부대 장병들 덕분에 먹고사는데, 그 정도도 못하겠습니까. 얼마가 필요하십니까?”

대화를 끊고 들어오는 회장에 살짝 불쾌해져 그 얼굴을 살핀 성문식은 이내 눈을 빛냈다.

‘안달이 났군.’

의도하지 않았지만 좋은 상황이 만들어졌다.

‘이러면?’

원래 얻으려는 것보다 더 세게 불러도 될 듯싶었다.

“흐흠. 5천만 원 정도가 필요할 듯싶습니다.”

“오, 오천만 원이요?”

다급히 끼어들었던 회장이나 상인들의 얼굴이 검게 죽는다.

'얼마 전에 5천만 원을 모아 보냈는데, 또 5천만 원이라고?'

그들은 느긋이 녹차를 마시는 성문식 대대장을 보며 안절부절못했고, 종배수는 탁자를 탁 쳤다.

"거 다들 너무하십니다. 자주국방을 위해 애쓰는 군부대를 정비하는 일이라고 하잖습니까! 그게 다 우리 군 장병들을 위한일인데…… 쯧쯧. 옹졸하다, 옹졸해. 나부터 내겠습니다!"

종배수는 지갑에서 잡히는 돈을 모두 내려놨고, 일단 크게 지르고 살짝 깎으려 했던 성문식 대대장은 10만 원 수표 뭉치에 깜짝 놀랐다.

당연하게도 상인들은 얼굴을 와락 구겼다.

'저! 저!'

옆에 누가 앉는 걸 싫어하는 성문식 대대장이 옆에 종배수가 앉았음에도 불쾌해하지 않는 것만으로도 짜증이 나는데, 이젠 꼼짝없이 5천만 원을 주게 된 상인들은 속이 뒤집어지는 것 같았다.

"……허허허. 역시 우리 종 사장님은 통이 크시군요."

"앞으로 신세를 질 대대장님이 힘드시다는데 이깟 돈이 문제겠습니까."

"하하핫! 감사합니다!"

성문식은 웃으며 상인들을 주욱 둘러봤다.

그 차가운 눈빛에 회장은 섬뜩함을 느꼈다.

'위험하다! 이대로 가다간!'

굴러온 돌에게 상가번영회 회장직을 뺏기게 생겼다.

"허허. 그런 거라면 당연히 드려야지요. 안 그렇습니까들?"

"그, 그럼요! 그런 거라면 드려야죠!"

"다들 감사합니다. 그럼 드실까요? 음. 역시 이 집 요리가 참 맛있군요."

상인들은 구겨지는 얼굴을 억지로 펴며 음식을 즐기는 모습을 보였다. 그렇게 누군가들에게는 굉장히 불편한 식사가 시작되었다.

"허허. 그럼 전 여러분들만 믿고 가겠습니다. 식사 잘했습니다."

뻔뻔하게도 식사비마저 전가하며 떠난 성문식 중대장의 모습에 이를 악문 상인들은 종배수를 노려봤다.

"어쩌자고 그 돈을 내놓은 겁니까! 이제 어쩔 거예요!"

원래 이런 건 서로 밀고 당기며 금액을 정하는 거다.

"음? 군부대 정비를 위해서라지 않습니까."

"뭐요? 지금 그 말을 믿습니까?"

"그럼? ……아, 설마 이거 뇌물이었습니까? 씨브럴?"

"쉿! 쉿! 이 사람이 정말! 됐고. 지갑에 얼마가 있었습니까?"

"……대충 천 오백 정도 들었을 거요. 허, 거참. 이런 곳에서 장사하려면 그런 게 있단 소리는 들었지만, 허허. 뭐 이렇게 해서 사병들이 더 자주 나오면 나쁜 건 아닌데…… 흠.”

‘그나마 다행이군.’

뇌물 그 자체엔 큰 의미를 두지 않는 것 같아서 다행이라고 생각한 회장은 종배수에게 등을 돌리며 상인들을 봤다.

“삼천오백, 맞출 수 있겠습니까?”

“십시일반 모으면 맞추는 거야 문제가 안 되지만, 다른 사장들이 과연 납득을 할지…….”

맞다. 그게 문제다.

또 돈을 모아야 한다면 회장으로서의 능력을 의심받을지도 모른다. 뇌물을 적당히 조절하는 것도 회장의 능력.

‘그렇다고 내가 다 내놓을 수도 없고…….’

삼천오백만 원. 솔직히 내놓으라면 못 내놓을 돈은 아니다.

하지만 너무나 아깝다.

‘내가 이 돈을 어떻게 모았는데?’

사병들 후려치고, 뇌물 주고 그렇게 모은 돈이다.

“쯧. 어쩔 수 없죠. 상인들에게 말해서 천 원씩 올립시다. PC방은 2천 원에 맞추고요.”

“끙. 역시 그 수밖에…….”

“뭐요? 지금 가격을 올리자는 겁니까?”

“닥쳐! 지금 누구 때문에 일어난 일인데, 목소리를 높여?!”

“아, 아니…….”

종배수는 죽일 듯 노려보는 상인들의 모습에 어깨를 움츠리며 콩닥콩닥 뛰는 심장을 눌렀다.

'이런 미친?'

뇌물에 가격 담합. 설마하니 그 모든 범죄에 대한 증거를 오늘 확보할 줄 몰랐던 종배수는 찢어지는 입을 누르느라 애써야 했다.

'흐흐. 형님, 증거 들어갑니다!'

종혁과 오택수, 최재수는 양팔을 번쩍 들었다.

'만세!'

'잘했다, 종배수!'

-그런데 이래도 괜찮겠습니까? 사병들의 반발을 뒤로 하더라도 갑자기 매출이 증가하면 세금 문제가…….

-걱정 마세요. 다 방법이 있으니까. 하, 진짜…….

정말 알려 주기 싫은 데 어쩔 수 없다는 듯한 회장의 말투에 종혁은 더 들을 것도 없다는 듯 핸드폰을 들며 목소리를 낮췄다.

"예, 과장님. 가격 담합에 대한 증거 확보됐습니다. 국세청 불러 주십시오. 그리고…… 제1야전군사령관님도."

종배수가 해 줬으니 이제부턴 자신이 나설 때였다.

종혁은 제1야전군사령부 사령관의 프로필을 보며 입술을 비틀었다.

'하 이 새끼.'

"이래서 자퇴한 거였냐?"

* * *

본청의 소회의실.

오늘 이 자리에 참관한 이택문 경찰청장과 제1야전군 사령부의 사령관 정균진이 입을 꾹 다물고 있다.

이택문 경찰청장으로선 쉬이 믿지 못할 이야기.

정경진 사령관으로선 공공연하게 쉬쉬했던 이야기.

위수 지역 상인들의 가격 담합이 군부대와 연관되어 있다는 증거에 둘은 쉬이 입을 열지 못했다.

종혁은 따갑게 쏘아지는 두 사람의 눈빛에 말을 이어갔다.

"현재 성문식 대대장의 차명 계좌로 전달된 부대 후원금 중 천만 원은 그의 아내 선옥자에게 흘러간 정황이 포착됐으며, 나머지 4천만 원 중 천만 원은……."

수색대대를 예하로 두고 있는 연대장의 차명 계좌로, 또 그중 일부는 사단장의 차명 계좌로 흘러 들어간 정황이, 아니 증거가 포착됐다.

또한 이런 뇌물 공여 정황에 성문식 대대장의 차명 계좌를 싹 다 훑으니, 그가 거쳐 온 부대의 군 장교와 장성들도 뇌물을 받은 정황을 확인할 수 있었다.

이뿐만이 아니라 양구와 다른 위수 지역으로 두는 군부대들 역시도 마찬가지였다.

이건 안 엮인 장교와 장성을 세는 게 빠를 수준이었다.

종배수와 그 동생들이 정말 큰일을 해 주었다.

"또한……."

"그만. 그만합시다."

"……이상입니다."

회의실에 숨이 막힐 듯한 침묵이 내려앉는다.

"그렇다는군요."

이택문의 말에 정균진은 이를 악물었다.

군의 치부를 경찰에게 들켰다.

이보다 부끄러운 일이 또 있을까. 하물며 그게 본인 휘하에 있는 장교 및 장성들의 일이라면 더더욱 말이다.

하지만 그는 이내 눈빛을 무심히 가라앉히며 종혁을 지그시 응시했다.

"흐음. 처음 듣는 이야기지만 심각한 사안이군요."

갑자기 이택문 경찰청장이 중히 할 말이 있다며 약속을 잡기에 본청을 찾았다가 뒤통수를 맞은 정균진 사령관의 발뺌에 종혁은 눈을 가늘게 떴다.

"그렇습니까?"

"예. 그래도 감사합니다. 그 익명의 제보자에게도요."

익명의 제보자의 제보로 인해 대화를 엿들었다는 종혁.

다른 인물도 아니고 형사가, 그것도 경찰청장을 이 자리에 앉힐 만큼 능력을 인정받는 형사가 직접 들었다.

'윤경수 소장의 말에 의하면 중앙지검과 대검, 법원에도 인맥이 있는 것 같다고 했지.'

게다가 그 말을 증명할 상가번영회의 회장과 간부들, 그리고 성문식 대대장이 같은 시각 한 일식집을 출입한 것이 찍힌 CCTV까지 있는 상황이다.

영장이 나오는 건 시간문제, 아니 당장 몇 분 후에 나올 수도 있었다.

"허허. 군 장교들의 생계형 비리가 이 정도일 줄이야……. 흐흠. 경찰의 뜻은 대충 알았으니 난 이만 일어나 보겠습니다."

한시라도 빨리 이 자리에서 벗어나 사령부로 가야 했다. 경찰이 움직이기 전에 자신이 먼저 움직여야 했다.

'빌어먹을! 어쩌다가…….'

하지만…….

"장군님."

종혁은 입술을 비틀었다.

"생계형 비리라고 폄하하면 곤란합니다."

그 누구도 생계를 위해 매달 몇 천만 원씩의 뇌물을 받진 않는다.

"하물며 그 돈이 나라에서 억지로 끌고 간 대한민국 건아들의 목숨값이라면 더 심각한 문제죠. 이것이 군 사기에 영향을 끼칠 게 분명한데…… 이 정도면 거의 내란죄 아닙니까?"

내란죄. 그 말이 정균진 사령관의 발을 붙들었다.

사령관은 종혁은 이를 악물었다.

"그런 말은 함부로 입에 담는 거 아닙니다."

"그런가요? 아, 맞아. 위수 지역 근방 군부대의 장이 돼서 1년 안에 강남에 아파트 한 채 못 올리면 병신이라는 말이 있더군요. 누구보다 국가 안보에 신경을 써야 하는 군 장교들이 그런 말을 공공연히 한다라……. 이건 어떻게 생각하십니까?"

나라가 아닌 개인의 안위부터 챙기는 군 장교들의 행태.

이래도 생계형 비리냐는 물음에 사령관은 이를 갈았다.

"그래서 하고 싶은 말이 뭡니까?"

"자체 정화하시죠?"

정균진은 눈이 동그래졌다.

"어차피 군의 일이잖습니까."

경찰이 아무리 떠들어 봐야 군이 침묵을 한다면 어찌할 도리가 없다. 그래서 만든 자리였다.

"……그렇군."

이제야 속내를 알아차린 정균진 사령관은 피식 웃었다.

"우리가 그들을 비호할 게 거슬렸던 거였어."

정답이었다. 위수 지역을 통째로 엎는 것도 정치적 사회적으로 큰 부담이 되는 일이다.

그런데 이 일에 얽혀 있는 군 장교들도 나선다? 여론에 밀려 흐지부지될 확률이 높다.

'그쪽 지방을 지역구로 둔 정치인들도 압박을 하겠지.'

그렇게 되면 경찰만 망신을 당하는 것이다.

'쯧. 눈치가 빠르군.'

하지만 여기서 물러날 수 없는 종혁은 한 발 더 내디뎠다. 여기서 물러나도 흐지부지 되는 건 마찬가지였기 때문이다.

"아니면 강제적으로 정화를 당하시든지요."

"지금 협박하는 건가?"

감히라며 비웃는 그의 모습에 종혁은 더욱 입술을 비틀었다.

"예. 협박하는 겁니다. 불편하시면 청와대에서 국방부 장관님과 함께 이 일을 논의해 보시겠습니까? 곧 군이 곤란해질 일이 있을 텐데요?"

곧 미군 기지가 이전을 한다. 현 정부부터 군대까지 미국에 휘둘린다며 여론과 국민의 질타를 받게 될 거다.

이런 상황에서 군의 대규모 비리가 터진다?

장군 중 몇 명이 옷을 벗게 되는 것은 물론이고, 미군 기지 이전도 백지화될 확률이 높다.

터엉!

테이블을 후려치는 정균진 사령관의 얼굴이 금방이라도 터질 듯 달아오른다.

"아버님."

그랬다. 종혁의 동기이자, 자퇴해 헌병이 된 정지훈. 정균진은 그런 동기의 아버지였다. 이래서 동기가 자퇴를 하고 사관학교에 들어간 것이다.

순간 눈을 부릅뜬 사령관은 이택문을 봤다.

"미안한데 잠시 자리 좀 비켜 주시겠소, 경찰청장."

"흠. 그러시죠. 최 팀장, 난 잠시 커피를 마시고 오지."

"충성."

이택문이 나가자 정균진 사령관은 더 이상 감정을 숨길 생각 없다는 듯 비릿하게 웃었다.

"그래, 윤경수 소장이 자네 입을 조심하란 말을 하긴 했지."

그땐 군 장성이 경찰과 어울릴 일이 뭐 있겠냐며 코웃음을 쳤지만 이젠 알 것 같다.

종혁의 혀는 악마의 혀였다.

"이거 감당할 수 있으니 하는 협박이겠지?"

종혁에게 당한 윤경수는 고작 소장이지만, 자신은 대장이다. 동원할 수 있는 인맥과 휘두를 수 있는 권력이 소장과는 천지차이였다.

일그러진 얼굴에서 발산된 끔찍한 경고가 심장을 옥죄었지만 종혁은 옅게 웃었다.

"아버님."

"아버님이란 말을 집어치우……."

"지훈이를 군으로 데려간 이유가 뭡니까? 아니, 지훈이를 헌병에 넣은 이유. 아버지가 육군 대장인데 군이 헌병으로 집어넣은 이유 말입니다."

움찔!

몸을 굳힌 정균진 대장의 표정이 다시 변화한다.

무심하게. 차갑게.

종혁은 이게 그의 참된 모습임을 깨달았다.

'휘유우.'

자리에 앉은 정균진 사령관은 담배를 물었다.

'지훈이가 동기 중에 괴물이 있다고 하더니만…….'

종혁의 짐작이 맞다.

오랜 악습이자 적폐.

이것부터 해결해야 군납 비리를 건드릴 수 있기에.

하지만 대체 어디서부터 어디까지 얽혀 있는지 알 수가 없기에, 자칫 함부로 칼을 꺼냈다간 믿었던 도끼에도 발등을 찍힐 수 있기에 온전히 믿을 수 있는 자식을 헌병에 넣은 것이다.

헌병마저 이 악습이자 적폐에서 벗어나지 않기에.

그것도 신분을 숨긴 채 말이다.

아니었다면 지훈은 종혁의 감시역을 맡지 못했을 것이다.

감히 육군사령부 사령관의 아들을 일개 대대장이 호출한다?

말도 안 된다. 그렇게 조금씩 증거를 모으는 와중에 종혁이 이런 폭탄을 들고 왔다.

"물러날 생각은 없는 거겠지?"

"그랬을 거라면 이렇게 아버님을 모시지도 않았을 겁니다. 대신 확보되는 증거들 중 군과 연결된 증거는 모두 넘겨 드리죠."

아무리 동기의 아버지라지만, 더 이상의 피해가 일어나는 걸 좌시할 수는 없었다.

"그게 국가안보에 직격탄을 날리는 일이라도?"

"여태껏 시간은 많았습니다."

위수 지역 폭리가 어디 하루 이틀 일인가.

어느 위수 지역에선 군 장성의 아내가 식당을 차렸다는 소문도 있다. 그럼에도 미적거린 건, 아니 묵인한 건 군대다.

이제 그 대가를 치를 뿐이었다.

이런 종혁의 질책에 정균진 사령관은 눈살을 찌푸렸다.

'괘씸한.'

하지만 어찌 할 방도가 없다.

언론을 완벽하게 통제할 자신이 없는 이상, 이번 비리는 어떻게든 밝혀질 수밖에 없기 때문이다.

'저놈이나 경찰청장 등 이번을 알고 있는 이들의 입을 막는다고 해도 그렇게 되겠지.'

만약 그랬다가 들통이 난다면 자신 하나 옷 벗는 걸로 끝나지 않는다. 이번에 얽힌 장교 장성들 전부 제1야전군 사령부 휘하의 장교, 장성들이기에 아래에 있는 파벌이 줄줄이 쓸려 나갈 것이다.

그런 그의 생각을 알아차린 것인지 종혁은 대답을 종용했다.

"어떡하시겠습니까. 정화하시겠습니까, 아니면 정화를

당하시겠습니까?"

정균진 사령관은 이제 결정을 내려야 될 때임을 직감했다.

그는 재떨이에 담배를 끄며 일어섰다.

"……말만 아버님이군."

정균진 사령관은 흔들리는 종혁의 눈썹을 보며 코웃음을 쳤다.

"그래, 이번엔 우리 군이 경찰에게 진 걸로 하지. 단, 이 이번 일에 군이 연관되어 있다는 것이 언론에 밝혀지면 안 될 거야."

'됐다.'

"군이 침묵을 한다면 충분히 그렇게 될 겁니다, 아버님."

종혁은 씩 웃었다.

그렇게 정균진 사령관이 돌아간 이후 국세청장에게도 브리핑을 마친 종혁은 이쪽을 묘한 눈으로 쳐다보는 이택문 경찰청장을 빤히 바라보며 어서 결정을 내리라며 실실 웃었고, 이택문은 이번에도 종혁의 뜻대로 되어 버린 결과에 피식 웃었다.

몇 개의 지역을 엎는 일이다.

대한민국에 산재한 위수 지역 전체를 건드릴 수 있는 일이기에 정치적, 사회적으로 부담이 될 수밖에 없다.

하지만 그렇다고 모른 척 외면한다? 협조를 안 한다?

가격 담합에 현금 유도를 한 상황에서 위수 지역 상인들 전부 차명으로 된 외제차나 부동산 등 탈세한 증거를 경찰이 내민 상황인데?

이게 들켰다간 국세청장 본인의 목이 날아간다.

국세청장은 울며 겨자 먹기로 승낙을 할 수밖에 없었다.

'이놈은 정말…….'

지켜볼수록 놀랍기만 했다.

"최 팀장."

"예, 청장님."

"쓸어버려."

"충성."

이젠 정말 끝을 향해 달려가고 있었다.

4장. 중앙경찰학교

중앙경찰학교

며칠 후 정오, 화천의 위수 지역.

"카악, 퉤!"

기지개를 켜러 나왔다가 며칠 전 일을 떠올린 회장은 얼굴을 구기며 가래침을 뱉었다.

"이번 대대장 새끼는 돈을 너무 밝히네."

상가 상인들이 십시일반으로 모으는 거라서 각자 부담하는 금액은 고작 몇 십만 원 정도였지만, 그래도 기분이 나쁠 수밖에 없다.

"5천만 원이 뉘집 애 이름도 아니고. 씨벌."

모아야 되는 돈은 종배수 덕분에 삼천오백만 원이었지만, 회장은 그렇게 말해 놓은 상태다.

어차피 욕먹을 거 돈이라도 좀 챙기기 위해서 말이다.

'원래 다리를 거치면 커미션을 줘야 하는 거야.'

그래도 덕분에 메뉴 가격을 천 원 인상할 수 있으니, 몇 십만 원 내놓고 몇 백만 원 번다면 위수 지역 사장들로서도 충분히 남는 장사였다.
언제나처럼 말이다.
"어? 저 새끼?"
회장은 대각선 맞은편에서 기지개를 펴고 나오는 종배수를 발견하곤 얼굴을 구겼다.
'저놈 때문에!'
흥정조차 못하고 고스란히 5천만 원을 모두 토해 내야 하는 이유를 제공한 놈.
"미꾸라지 한 마리가 온 동네 물을 흐린다더니……."
하지만 만날 때마다 싹싹거리며 용돈을 찔러 주니 제대로 화를 낼 수가 없다. 그렇다고 묵인하자니 이젠 종배수에게 손님들을 뺏긴 다른 사장들의 등쌀 때문에 견디지 못할 상황. 미치고 환장할 노릇이었다.
그때였다.
부우우웅!
"음?"
위수 지역 안으로 십여 대의 승합차들이 줄줄이 들어오자 '단체 손님!'이라고 눈을 번뜩였던 회장은 승합차에 부착된 '국세청'이란 스티커를 보곤, 그 뒤를 따르는 경찰차들을 보곤 하얗게 질렸다.
"미, 미친!"
회장은 다급히 사무실 안으로 들어가 문을 잠갔다.

그리고 그의 사무실 앞에 승합차들이 멈춰 섰다.

끼이익! 드르륵! 터벅터벅!

승합차에서 내린 국세청 공무원들은 곧 자신들이 해야 할 일을 떠올리며 어이없다는 듯 웃었다. 위수 지역 전체를 건드리는 일은 국세청 역사상 처음 있는 일이기에.

그건 오늘 협조 요청을 받고 출동한 강원경찰청 경찰들도 마찬가지였다.

그들은 헛웃음을 터트리며 종혁을 찾았다.

카가가가!

입에 담배를 문 채 오함마를 끌고 오는 종혁.

그뿐만이 아니다. 오택수와 최재수도 오함마를 끌고 온다.

이쪽을 멍하니 쳐다보는 군인들 사이에서 팔을 붕붕 흔드는 종배수를 일견한 종혁은 국세청 직원들을 보며 의아해했다.

"뭐하십니까? 시작 안 합니까?"

"그, 그건……."

"아, 별거 아닙니다. 범죄자님들께서 협조를 안 해 주실 때 문을 열기 위해 작은 도움을 줄 도구랄까? 아, 여기부터 시작할까요?"

"아, 아니……."

싱긋 웃은 종혁은 상가번영회 사무실의 불투명한 유리문을 두드렸다.

퉁퉁퉁!

"경찰입니다. 문 열어 주세요. 영장 나왔습니다. 문 여…… 어이구, 뭘 또 저렇게 찢으시나?"

쫙, 쫙!

문 밖으로 흘러나오는 종이 따위를 찢는 소리.

증거 인멸의 정황이 포착됐다.

피식 웃은 종혁은 오함마를 들어 그대로 후려쳤다.

꽈아앙!

"히이익! 뭐, 뭐야?!"

"동작 그만. 더 이상 움직이시면 가중 처벌을 받습니다."

죄목은 공정거래에 관한 법률 위반.

방금 전 증거 인멸죄도 추가됐다.

국세청은 경찰에게 탈세에 대한 제보를 받고 증거 확보를 위해 경찰에 협조를 요청해 함께 찾아온 것.

매출입 전표를 뒤져 숨은 돈을 찾는 덴 국세청만 한 곳이 없었다.

국세청이 숨은 돈을 발견하면 할수록 이들의 죄는 더 무거워질 터. 위수 지역 상인들을 완벽하게 처벌하기 위해선 국세청의 도움이 필요했다.

"아악! 악! 야, 이거 풀어! 풀지 못해? 내가 누군지 알아?! 내가 전화만 돌리면……!"

"예예. 한 마디만 더하면 협박죄도 추가합니다, 씨발 새끼야."

"……."

수갑을 마저 채우고 뒤를 돌아본 종혁은 아직도 멍하니

서 있는 국세청과 강원청 경찰들을 보며 고개를 모로 기울였다.

"아, 맞아. 집행 시 부득이 하게 발생될 재물 손괴에 관해선 간편신고관리과 특별수사1팀장인 제가 전액 책임집니다."

움찔!

마치 돈이 많다는 듯 종혁이 보여 주는 고급 손목시계에 얼떨떨해하던 사십대 후반의 중년인은 이내 정신을 차리곤 씩 웃었다.

"그거 참…… 듣기 좋은 말이군요."

공무원의 애환을 제대로 찌른 말이었다.

중년인은 직원들을 바라봤다.

"뭐해?! 탈세범에 체납자들이야! 싹 다 엎어 버려!"

"뭐해, 새끼들아! 국세청에 밀릴 거야?!"

"예……!"

화천의 위수 지역에 저승사자들이 강림했다.

우와아아아아!

외박에서 복귀한 병사들이 전한 소식에 부대 전체에서 환호성이 터져 나온다.

그에 오늘 유난히 일찍 눈이 떠져 어쩔 수 없이 이른 시간에 출근한 성문식 대대장은 미간을 찌푸릴 수밖에 없었다.

"이게 대체 무슨 일이야?"

“이, 이병 김재우! 잘 모르겠습니다. 죄송합니다!”

“아니, 김재우 이병에게 한 말이…… 쯧. 그보다 정말 군 생활은 괜찮나?”

“이병 김재우! 괜찮습니다! 모두 잘해 주십니다!”

“그래, 힘든 일 있으면 언제든지 말해도록 해. 아, 커피 한 잔 들지.”

“이병 김재우! 아닙니다! 괜찮습니다!”

“나도 괜찮아.”

얼마 전 연대장에게 점수를 따고 큰돈이 차명 계좌에 입금된 것도 모자라, 입안의 혀처럼 굴어 줄 종배수까지 알게 된 성문식 대대장은 부쩍이나 너그러워져 있었다.

거기다 김재우는 대한민국 사람이라면 남녀노소 다 아는 최정상의 보이그룹 멤버가 아닌가. 잘만 케어해도 두둑한 인사 고과는 따 놓은 당상이었다. 즉, 김재우는 어떻게든 보호해야 되는 보물.

그런데 커피 한 잔 타 주는 게 대수일까.

그렇게 손수 커피를 타는 순간이었다.

쾅!

문이 거칠게 열리며 늙은 군인이 난입한다.

수색대대의 행보관이었다.

“대, 대대장님!”

“이게 무슨 짓이야! 노크 몰라?!”

“왜 전화를 안 받으십니까!”

“전화?”

의아해하며 주머니를 뒤진 대대장은 아차 했다.

"아, 집에 놓고 왔나 보군."

"왜 하필 오늘……."

"음?"

"아, 아니 지금 그러실 때가 아닙니다. 어서 몸을 피하셔야 합니다! 어서!"

"그게 무슨……."

섬뜩 뭔가를 느낀 성문식 대대장은 다급히 몸을 일으켰지만, 이미 늦어 버렸다.

저벅, 저벅!

군홧발을 무겁게 내디디며 대대장실로 난입하는 헌병들.

그 선두엔 종혁의 동기 정지훈이 있었다.

"성문식 중령님? 함께 가 주셔야겠습니다."

"이게 뭐하는 짓들이야! 여기가 어딘지 몰라?! 그리고 야, 정 소위! 지금 네 짬밥에……."

"아, 행보관님도 받아먹으신 게 많더군요. 이분도 모셔."

"충성."

"뭐, 뭣?! 이 새끼들이! 내가 누군지 알고! 내가 아는 장군님들이 어?! 너희들이 이러고도 무사할 것 같아?! 놔! 안 놔?!"

개처럼 끌려가는 행보관을 일견한 성문식 대대장은 정지훈을 보며 담배를 물었다.

"소위 따위가 중령을 체포한다라……. 군대가 개판이군. 이거 감당할 수 있겠어? 잔말 말고 김 소령 데려와."

"김 소령님은 현재 조사 중이십니다. 어떤 분에게 뇌물을 받고 범죄를 묵인한 정황이 드러나서 말이죠."

성문식 대대장은 눈을 부릅떴다.

"그, 그럼……!"

"일단 전화부터 받아 보시죠."

순간 성문식 대대장은 몸을 뒤로 뺐다.

받기 싫다. 고작 소위 따위가 전화를 건 상대가 얼마나 대단하겠냐마는 그래도 받기가 싫었다.

하지만 강제적으로 귓가에 핸드폰을 가져다 댄 정지훈의 행동에 그는 결국 핸드폰 너머에서 들려오는 목소리를 듣고 말았다.

ㅡ나 제1야전사령관 정균진이야.

"수, 수새액ㅡ!"

ㅡ군사 물자에도 손을 댔다지? 내란, 뇌물 둘 중 어느 게 좋겠나?

철렁 순간 심장이 내려앉고 온몸의 피가 빠져나간 성문식 대대장은 그대로 주저앉았다.

'그, 그걸 어떻게…….'

ㅡ여보세요? 안 들리나?

성문식 대대장은 눈을 질끈 감았다.

"……뇌물로 하겠습니다."

ㅡ그래, 재판장에서 보지. 하지만 외롭진 않을 거야. 다

른 장교와 장성들도 함께할 테니까. ……개새끼들.

뚝 전화가 끊기자 정지훈은 혼이 빠진 얼굴을 한 성문식 대대장, 아니 성문식을 차갑게 응시했다.

"이제 가시겠습니까?"

……끄덕.

"모셔 가."

"충성. 가시죠, 중령님."

헌병들에게 양팔이 붙들린 성문식이 힘없이 끌려가자 정지훈은 담배를 물며 대대장실을 주욱 둘러봤다.

그런 그의 머릿속에 지금쯤 한참 위수 지역을 뒤엎고 있을 종혁의 모습이 떠오르고 있었다.

'여태껏 다른 친구들에게 들은 것처럼 난리를 치고 있겠지.'

아직도 연락을 하는 동기들이 말하길 불도저.

조폭이고, 같은 경찰이고, 정치인이고 상관없이 모두 밀어 버리는 불도저라고 했다.

참 대단한 놈이었다.

하지만…….

"군대의 일은 군인에게."

종혁에게 속인 게 있어서 좀 미안하지만, 군인의 일은 군인의 몫이었다. 종혁의 옳은 결정에 피식 웃은 정지훈은 담배를 군홧발로 비벼 끄며 돌아섰다.

"음? 아, 당신이 있었군요. 김재우 이병."

"수, 수색! 이병 김재우!"

일련의 상황에 넋이 나가 있던 김재우는 다급히 거수경례를 했다.

"당신의 그 지인 형에게 감사하다고 전해 주세요."

"예?"

피식 웃으며 김재우의 어깨를 두드린 정지훈은 밖에 서 있는 헌병들을 향해 싸늘히 일갈했다.

"대대장실, 아니 부대 전체와 관사 폐쇄하고, 싹 다 잡아들여."

"충성!"

"……멋있다."

딱딱한 옷차림과 절도 있는 자세.

그야말로 군인의 귀감이었다.

거기에 소위가 중령을 제꼈다. 무슨 일인지는 모르겠지만, 그 자체만으로도 희열이 느껴질 수밖에 없었다.

"그런데 지인 형? ……설마 종혁이 형?"

왜일까. 지인이라는 소리를 듣자마자 종혁의 얼굴이 떠오르는 건 말이다.

"이 인간 이번엔 또 무슨 사고를 친 거야?"

김재우는 아까 전에 터진 환호성이 종혁과 연관되어 있을 것 같다는 생각을 지울 수가 없었다.

그렇게 27사단 이기자부대 수색대대를 비롯한 여러 군부대에도 헌병이라는 저승사자들이 강림했다.

한편 그 시각 경찰청장실.

"흠……."

이택문 경찰청장은 중앙경찰학교에서 보내져 온 한 인물의 프로필과 그에 첨부된 어떤 그림을 뚫어지게 쳐다보다 피식 웃음을 터트렸다.

"재밌군."

경찰에 벌레가 기어 들어왔다.

감히 경찰에 말이다.

* * *

경찰과 국세청. 대한민국 위수 지역을 향해 전쟁을 선포하다!

소상인? NO! 악덕 상인! 냉동삼겹살 19000원, 여관은 10만 원!

악마를 징치하는 경찰!

현금 거래를 유도한 위수 지역 상인들. 중대한 탈세 혐의.

경찰, 가격 담합 증거 포착! 털면 털수록 나온다?

제대한 군인들의 증언 잇따라!

대한민국의 건아들아, 어른이 미안하다!

칼만 안 든 강도들의 시위!

이택문 경찰청장. 결코 좌시하지 않겠다. 전 경찰 움직여 달라!

결국 전국 위수 지역이 뒤엎어졌다. 제대한 군인들이 위수 지역의 폭리와 부조리를 폭로하고 나섰기 때문이다.

매일, 아니 매시간 새로운 뉴스가 포털 사이트와 신문 가판대를 장식했고, 여론의 반응도 당연히 위수 지역 상인들에게 우호적이지 않았다.

옹호를 하려는 순간 부모들이 득달같이 달려들었기 때문이다.

훈련소에서 눈물로 헤어졌던 아들들의 일이다.

어디 밖에 나가서 굶고만 와도 서러워 죽겠는데, 몇 푼 안 되는 목숨값을 바보처럼 뺏기고 왔다는데 화를 내지 않을 부모가 있을까.

대한민국에서 위수 지역 상인들의 편은 단 한 명도 없었다.

그들을 지역구로 삼은 정치인들도 입을 다문 상태.

소수의 인권 단체들이 그들의 곁에 기웃거렸으나, 그것도 이내 후원 편취를 목적으로 접근했음이 드러나며 싹 다 박멸되었다.

일각에선 이 일에 대검 중수부가 관여했다는 소문도 있었다.

"지금이 기회니까 전국에 지점을 늘리도록 하세요."

그런 와중에 종혁만이 다른 관점에서 위수 지역을 바라보며 발 빠르게 움직이고 있었다.

위수 지역 전체가 털리며 여론이 좋지 않은 방향으로

흐르자, 군 수뇌부는 위수 지역 확대를 논의 중이었다.
위수 지역이 확대되며 사병들이 갈 수 있는 곳이 늘어난다면, 고객 유치를 위한 경쟁 탓에 바가지 문제는 자연스레 사라질 테니까.
그에 기존 위수 지역의 부동산값은 곤두박질을 칠 수밖에 없었다.
하지만…….
'위수 지역이 그렇게 쉽게 확대될 리가 없지.'
종혁은 작금의 상황을 낙관적으로 바라보지 않았다. 여러 이해관계 뒤얽혀 있는 이상 위수 지역의 확대는 지지부진할 수밖에 없는 탓이었다.
군 수뇌부는 지금은 사병들을 위하는 척 움직이고 있지만, 여론이 잠잠해지면 그들의 움직임 또한 잠잠해질 터였다.
"권&박 홀딩스를 다시 찾아가면 대규모 투자를 해 줄 겁니다. 명심하세요. 모텔은 최소 3개 이상, 식당은 100평 규모. PC방은 최소 150석 완비."
그에 종혁이 세운 계획은 간단했다.
바로 M-컴퍼니를 위수 지역의 랜드마크로 만드는 것이다. 시간이 흘러 악덕 상인들이 다시 개수작을 부리려고 해도 사병들이 더 이상 그곳을 찾을 이유가 없도록.
-헉! 그, 그런 엄청난 일을 제게 맡겨 주시다니! 이 종배 수 앞으로 영원히 백골이 진토가 되어도 견마지로를…….
"개소리 마시고 내 말대로 물가나 안정시키세요."

그렇다고 무작정 가격을 낮춰서 위수 지역의 상권을 죽일 생각은 아니었다.

종혁이 바라는 건 오로지 사병들이 값을 치른 만큼 정당한 서비스를 받는 것뿐이었다.

만 원을 냈다면 만 원만큼, 5만 원을 냈다면 5만 원만큼. 정당한 거래를 하려는 것이다.

종혁은 이어서 다른 사람에게 전화를 걸었다.

"미진아, 난데. 위수 지역에 드바 로마노프 오픈 가능하겠냐?"

-위수 지역에요?

"장병 면회 온 부모님들 상대로."

-흐으응! 그럼 핸드크림이나 샴푸, 기능성 속옷들도 많이 갖춰 놔야겠네요.

역시 미진이었다.

"속옷은 국방색으로 맞추는 게 좋을 거야. 원단은 특별히 신경 좀 써 주고."

-그건 걱정 마세요. 장병들에게 설문 조사를 해서 제품을 갖추도록 할 테니까요. 그보다 진짜로 데이트는 언제…….

탁!

전화를 끊은 종혁은 차문을 열었다.

그때였다.

지이잉! 지이잉!

"음? 이 사람이 왜?"

김희건의 사랑을 독차지하는 딸, 호텔 신화의 김부현 기획부장이었다.

“간편신고관리과 특별수사팀 최종혁 경정입니다.”

—호호. 저예요, 김부현.

“예. 무슨 일이십니까? 안부 인사나 하자고 전화하신 건 아닌 것 같은데.”

—그러면 여자에게 인기 없어요, 최 팀장님.

“용건은요?”

—칫. 혹시 M컴퍼니에 대해 잘 아시나요?

종혁의 표정이 살짝 굳었다.

‘이 여자가 그걸 어떻게? 흠. 역시 삼전인가?’

—후훗. 그 침묵은 M컴퍼니의 뒤에 최 팀장님이 있다는 걸 실토하시는 건가요?

“흐음. 예전에 알게 된 범죄자인데 새사람으로 살고 싶다고 해서 개인적으로 돈을 좀 빌려줬습니다. 뜻도 가상하고, 마음도 제대로 고쳐먹은 듯해서요.”

—어머나.

‘그렇다고 5억이나 빌려주나요?’

김부현은 속말을 꾹 삼켰다.

—네. 그렇다고 칠게요.

“그렇다고 치는 게 아니라…… 끙, 됐습니다. 그래서 무슨 일이십니까?”

—M컴퍼니와 협약을 맺고 싶어서요.

“호텔 신화가요? ……모텔 사업하시게요? 호텔 신화가?”

신화 호텔이 지닌 브랜드 이미지를 고려하면, 모텔 사업은 오히려 독이 될 수도 있었다.

그러한 종혁의 의문을 읽은 듯 김부현은 웃음기 섞인 목소리로 대답했다.

—이 나라에서는 군인의 처우가 몹시 좋지 못하지만, 미국으로만 눈을 돌려도 군인은 나라의 영웅이랍니다.

'확실히.'

그런 방향으로 포장해서 마케팅을 한다면 브랜드 이미지가 실추되지 않으면서, 서민들의 시장까지 장악할 수 있을 터였다.

거기까지 생각이 미치자 종혁은 김부현의 의도를 알아차릴 수 있었다.

"M모텔에 조식을 지원하고 싶다는 소리시군요."

—……정답.

'이 남자 뭐야?'

고작 협약과 군인이라는 단어로만 조식이라는 결론을 도출했다.

'괜히 신성이 아니라는 건가?'

경찰의 신성, 최종혁 경정.

'이러면 끼리끼리 만난 거네! 어머나! 어머나!'

드바 로마노프의 보물 에바 미진 킴 상무와 그렇고 그런 관계인 종혁. 물론 큰 오해지만 그녀는 잔뜩 흥미가 갈 수밖에 없었다.

'지켜보는 재미가 있겠는데?'

핸드폰을 가져다 댄 그녀의 입가가 장난기 가득한 미소를 머금기 시작했다.

—호텔로의 승격은 저희 호텔 신화가 도와줄 거예요. 어떻게 생각하시나요?

“흐음.”

‘종배수에게 김부현이라…….’

김부현이 지금까지, 그리고 앞으로 쌓아 올린 실적을 고려하면 종배수가 잡아먹힐 확률이 컸다.

하지만 그건 종혁 본인이 컨트롤하면 될 일. 여차하면 M-컴퍼니를 호텔 신화에 매각해도 상관없었다.

훗날 여성 기업가 중 최고라는 평가를 받는 김부현과 호텔 신화라면 종배수보다 훨씬 더 양질의 서비스를 제공할 수 있을 테니 말이다.

“알겠습니다. 그럼 김부현 부장님의 연락처를 종배수 사장에게 알려 주면 되겠습니까?”

—딱딱하게 부장님이 뭐예요. 누나라고 불러 봐요.

“허락하신 걸로 알고 전달하겠습니다. 전 바빠서 이만.”

매정하게 전화를 끊은 종혁은 턱을 긁었다.

“……나쁘지 않네.”

결코 나쁜 일은 아니다.

고개를 주억인 종혁은 핸드폰을 주머니에 집어넣었다.

지이잉!

“후. 아침부터 바쁘네. 또 누구…… 청장님?”

이른 아침부터 이택문 경찰청장의 호출이었다.
종혁은 고개를 모로 기울였다.

* * *

"충성. 경정 최종혁."
"앉아. 더 가까이."
종혁은 의아해하며 이택문의 옆에 앉았다.
"커피?"
"괜찮습니다."
"마시도록 해. 여기 냉커피 두 잔."
수화기를 내려놓은 이택문은 어리둥절해하는 종혁을 보며 피식 웃었다.
"특별수사팀도 이제 자리를 잡았더군."
벌써 해결한 초대형 사건만 몇 개인가.
현재 경찰 내부에서는 아니 각 지청에서는 은밀히 소속 간편신고과와 연결된 전담 수사 부서를 만들려는 움직임을 보이고 있었다. 각 지방에서 일어나는 민원은 지방에서 해결하겠다는 듯 말이다.
아무래도 저번 중고차 사건과 이번 위수 지역 사건 때 특별수사팀이 전국을 누비며 제대로 주목을 받았기 때문인 것 같았다.
"다 최 팀장 덕분이야."
"……그렇게 칭찬하시면 불안합니다만."

오늘 이택문의 모습도 불안하기는 마찬가지였다.

갑자기 옆에 붙으라고 하질 않나, 거절하면 그만두는 커피를 억지로 시키질 않나.

마치 사형 집행 직전의 사형수를 대하는 것처럼 사근사근 굴고 있다. 이택문답지 않게 말이다.

종혁은 낯빛을 굳혔다.

"설마 또 전출입니까?"

'이건 아니지. 에이, 진짜 아니지!'

만약 이번에도 인사 이동을 시킨다면 이택문을 유도 매트 위로 불러낼 수도 있었다.

그런 종혁의 마음을 읽은 건지 피식 웃은 이택문은 다시 수화기를 들어 어딘가로 전화를 걸었다.

"예. 이택문 경찰청장입니다. 예, 지금 출근했습니다. 예, 알겠습니다. 받아 봐."

미간을 좁히며 수화기를 넘겨받은 종혁은 이내 곧 흘러나온 목소리에 눈을 부릅떴다.

–반갑습니다, 최종혁 경정. 나 박노형입니다.

'대통령님?!'

종혁은 다급히 몸을 일으켰다.

"충성! 경정 최종혁!"

–그래요. 최 팀장의 이름은 신문과 여러 루트를 통해 종종 들었습니다. 아니, 그 전에 최 팀장과 저는 참 인연이 깊지요?

'아, 이 양반 진짜로 눈치 깠네.'

왜 경찰대 시절 훈장을 주나 싶었는데, 역시나 상황을 완벽하게 파악했던 것 같다.

종혁이 해결한 것이나 다름없는 삼성클럽 사건, 그때 드러난 배후 때문에 대통령 후보에서 물러나며 당대표를 꿰찬 현몽준.

그런 그의 적극적인 지지에 힘입어 대통령이 된 박노형.

그 상관관계를 모두 파악한 것이다.

"……이번 위수 지역 사태 때문입니까?"

—역시 훌륭합니다. 경찰의 미래가 참 밝아요. 그러니 이제 관둡시다.

종혁의 표정이 딱딱하게 굳는다.

—한 가정의 가장들을 죄다 검거했으면 됐잖습니까.

"그들은 약자가 아닙니다. 책임지실 수 있습니까?"

잡혀간 가장을 대신해서 위수 지역의 가게를 운영할 가족들.

그들이 악행을 되풀이한다면 여태까지 한 수고는 말짱 도루묵이 되어 버린다.

거기서 다시 발생할 사병들의 원망.

경찰의 위신에 흠집이 날 거다.

공권력을 발휘해도 별거 없다는, 공권력도 별거 없다는 흠집이 말이다.

'시시때때로 애프터케어를 해도 모자랄 판에!'

앞으로 최소 2주 정도는 더 위협적인 분위기를 연출해 줘야 남겨진 이들이 꽤 오랫동안 허튼 마음을 먹지 않을 테고, 그래야 종배수도 뿌리를 내리기가 편하다.

그렇기에 포문을 열다 못해 컨트롤을 하는 종혁 본인이 여기서 수사를 종결하면 현재 이 사건에 달려들고 있던 경찰 전체가 스톱될 테고, 그럼 안 하느니만 못한 일이 되어 버린다.

-그래서 M컴퍼니가 있잖습니까.

……씨익.

종혁의 입가가 죽 찢어졌다.

"국정원 일 잘하네요."

-때리는 걸로 뭐라 하는 게 아닙니다. 마음껏 때리세요. 단 한 명의 피해자라도 위험과 불의에서 보호하는 것, 그게 경찰이 할 일이잖습니까. 하지만 쥐도 궁지에 몰리면 고양이를 무는 법입니다.

"국회의원님들이 골치 아프게 하나 보군요. 군대도."

지역구를 지켜야 하는 입장인 국회의원들과 언제 불똥이 튈지 몰라 위수 지역이 계속 언급되는 게 불편할 군대.

-……현몽준 당대표가 괜히 최 팀장을 좋아하는 게 아니었군요.

"위수 지역에 대기업 진출을 용인해 주시고, 이번 군자체 정화에도 힘을 실어 주십시오. 그리고 마지막으로 경찰의 공권력 강화를 적극 지지해 주십시오."

-내게 너무 과한 걸 바라는군요.

"대통령님도 그렇게 과한 걸 제게, 경찰에 요구하셨습니다."

—……좋습니다. 최 팀장의 뜻은 다 이해했습니다. 그런데 대기업 진출은 왜 말하는 겁니까?

"군인의 처우 개선을 위해서입니다. 나라를 위해 희생하는 장병들에게 더 좋은 대우를 못해 줄망정 지금 같은 대우는 좀 아니잖습니까. 지금의 여론이면 기업들도 허가만 떨어지면 두 팔 벌려 뛰어들 겁니다."

종혁은 그러며 미국이 군인을 어떻게 대우하는지에 대해 알려 줬다. 작은 투자로 해외 사업에 있어 긍정적인 이미지를 얻는다면 뛰어들지 않을 기업은 없을 것이라며.

"물론 기업과 정치인들과의 조율은 대통령님이 잘해 주셔야 할 테지만 말입니다."

이런 이유라면 정치인들을 설득하기가 보다 쉬울 터.

이권도 이권이지만, 임기가 고작 4년이라 한 장의 표심이 아쉬울 정치인에게 이를 각인시킨다면 생각을 달리하게 될 거다.

위수 지역 상인은 소수지만, 군인은 다수니까.

박노형의 지지율도 꽤나 상승하게 될 것이다.

"그래도 반발하는 분들이 계시다면 제게 귀띔만 해 주십시오. 치워 드리겠습니다."

—……조만간 식사 한 끼 합시다. 끊겠습니다.

전화가 끊긴 수화기를 내려놓은 종혁은 피식 웃었다.

'골치 아플 거다.'

대통령으로서의 지지율이냐, 아니면 국정 활동을 지지

해 줄 국회의원들의 이권을 챙겨 주느냐.

회귀 전, 군대의 위수 지역 철폐 여론에 상인들이 반발하며 시위할 때 정치인들이 앞장섰던 이유가 뭐겠는가. 다 거기에 이권이 얽혀서다.

지금은 죄다 긁어 모아 한꺼번에 터트렸기에 그 불똥이 튈까 몸을 사리는 거지, 여론이 관심이 멀어지면 슬그머니 대가리를 들이밀어 검거된 위수 지역 상인들의 방면을 요구할 것이다. 그게 국개의원이다.

'뭐 지역구 주민의 생활을 신경 써야 하는 게 정치인이라지만…….'

낄 데 안 낄 데 구분을 못해서 문제다.

그래도 이제 박노형 대통령은 국민이냐, 정치냐를 두고 머리 터지게 고민하게 될 것이다.

'일단 종배수한테 최대한 빨리 리모델링을 마치라고…… 음?'

"아, 죄송합니다."

"아니야. 잘 들었어."

그저 잘 들었다 뿐일까. 종혁의 간덩이가 얼마나 큰지도 확인한 순간이었다.

대통령에게 태연하게 요구하던 모습이란.

"들지."

"감사히 먹겠습니다."

'으흠.'

짜증 나게 만든 대통령에게 한 방 제대로 먹여서 그런지 입안을 적시는 커피 향이 무척이나 풍부하게 느껴졌다.

"잘 마셨습니다. 그럼 전 이만 업무를 위해 내려가 보겠습니다. 아직 조서 작성도 다 마치지……."

툭.

종혁은 이택문이 던진 프로필 서류, 거기에 붙어 있는 사진 한 장을 보고 입을 다물었다.

"중경에서 올라온 거야."

중앙경찰학교. 깜짝 놀라 이택문을 봤던 종혁은 이내 웃기 시작했다.

"이 개새끼들이 결국 선을 넘었군요."

깜찍하게 넘었다.

'그리고 드디어 잡았네. 또 다른 꼬리.'

경찰청장까지 움직인 놈들이다.

그런데 경찰 내부에 이놈들이 없다고 확신할 수 있을까.

그렇게 예상은 했지만 실제로 그 상황을 겪게 되니 열이 머리끝까지 솟는다.

"명령을 내려 놓으신 겁니까?"

"국정원에도 쁘락지가 있었던 놈들인데, 우리 경찰이라고 없을까."

그래서 중앙경찰학교와 경찰대, 경찰인재개발원 등에 입교생의 문신을 조사하라고 명령을 내려 놓은 상태였다.

문신은 곧 인성과도 연결되는 문제라 별 반발 없이 받아들여졌는데, 이렇게 월척을 낚을 줄은 몰랐다. 모두 순전히 우연이었다.

샤워를 하는 입교생의 허벅지 안쪽에 작게 새겨져 있던 문신.

정말 우연히 발견하게 된 거다.

"그런데도 이제야 문신이 밝혀졌다라……."

역시 영리하고 치밀한 놈들이다.

"혹시 모르니까 전수 조사는 하지 말라고 명령을 내린 상태지."

잘했다.

한 발 더 나갔다간 겨우 드러난 꼬리가 잘렸을 것이다.

"이제 몇 주 후면 실습을 나가게 될 거야."

순경이 되기 위한 교육 기간은 총 32주.

그중 16주가 중앙경찰학교에서 교육을 받는 기간이다.

이후엔 지구대나 파출소로 실습을 나가게 되고, 실습이 종료된 후에 시보로 임용되며 졸업을 하게 된다.

'더 늘었으면 좋았을 텐데 말이지.'

본래는 24주에 불과했던 교육 기간.

종혁이 지속적으로 경찰들의 전문성을 윗선에 강조해 온 덕분에 32주로 늘어나게 된 것이었다.

이택문은 어떻게 할 거냐는 듯 눈으로 물었다.

"아마 이 한 명이 전부가 아닐 겁니다."

"그렇겠지."

"두 달만 휴가 주십시오."

종혁 본인의 눈과 촉이라면 눈짓, 작은 손짓 하나로도

이놈과 연관이 된 그 조직의 놈을 알아낼 수 있을 것이다.
"중경 훈련교관 지원을 나가는 걸로 처리해 놓지."
"충성."
절도 있게 거수경례를 하고 돌아서 경찰청장실을 빠져 나온 종혁은 주먹을 꽉 쥐었다.
"또 잡았다, 이 개새끼들아."
종혁의 입이 사납게 찢어지기 시작했다.
"……아, 근데 이러면 또 부서 이동이잖아?"
왠지 당한 것 같은 기분이 들었다.

한편 종혁이 나가고 남겨진 이택문 경찰청장은 피식 웃었다.
"거기선 또 어떤 사고를 칠까……."
좁으면 좁은 대로, 넓으면 넓은 대로 대형사고를 치는 게 종혁.
비실 웃은 이택문은 자리로 돌아가 서류를 열었다.

* * *

"뭐? 두 달?!"
"어쩌겠습니까. 까라면 까야지."
"……씨발. 쪼잔한 새끼들."
대충 예상이 간다. 종혁이 너무 잘나가니 질시를 하기 시작한 것이다. 범죄자는 몽둥이로 때려잡는 형사들이 옆 사람이 진급하면 어찌나 배 아파하는지 정말 겪어 보지 않고서는 논할 수도 없는 일이다.

“그래도 청장님이 널 예뻐하시긴 정말 예뻐하시는 가 보다. 이렇게 빼 주기도 하시고.”

‘그런 거 아닌데…….’

하지만 이대로 오해하고 넘어가는 것도 나쁘지 않기에 종혁은 입을 다물기로 했다.

“오 경감님은 어떻게 하시겠어요?”

“같이 갈 거냐고? 난 싫다. 내가 씨발 거길 왜 또 가?”

“큭큭. 많이 데였나 보네요.”

“가 보면 알아, 가 보면. 하, 씨발…….”

고개를 끄덕인 종혁은 최재수를 봤다.

“최 경장은 나 없는 동안 오 경감님 서포트 잘하고.”

“저도 가고 싶습니다! 중경!”

경찰 최재수를 탄생시킨 고향, 중앙경찰학교.

“씨발! 경장 따까리 주제에 어떻게 중경 교관을 해, 이 무식한 새끼야! 너 학위 있어?”

“……아뇨.”

“그럼 닥치고 처먹어!”

“우읍! 켁!”

결국 파전 한 장을 입에 모두 욱여넣게 된 최재수는 오택수를 죽일 듯 노려봤고, 그러다 기어코 한 대 맞았다.

“아무튼 저 없는 동안 오 경감님이 1팀장 대리로서 무게 좀 잡아 주세요. 잘해 주실 거라고 믿습니다.”

김판호와 윤선빈. 여차하면 1팀으로서의 권위를 잡아먹을지 모르는 괴물들이다.

"아, 그리고 애들도 좀 조사해 주시고요."

종혁은 냅킨에 글자를 적어 오택수에게 내밀었다.

"JU?"

희대의 사기꾼 조희구 때문에 조 단위의 사기를 치고도 그 유명세가 적었던 JU그룹.

깡통 회사의 가치를 부풀려 주가를 조작해 수많은 이들이 자살이라는 안타까운 결정을 내리게 만든, 일명 깡통 주가 조작 사건을 벌인 게 바로 이놈들이었다.

그 사건의 피해액은 무려 약 200억 원.

이놈들 때문이었다. 오택수를 데려가지 않는 이유가 말이다.

현시점에서는 아직 벌어지지 않은 이 사건에 대해 말해 줄 수는 없었기에 종혁은 적당히 각색하여 놈들에 대해 설명했다.

그 설명이 끝이 나자 오택수는 미간을 좁히며 소주잔을 들었다.

"……씨발. 이놈의 대한민국은 사기 공화국이야, 뭐야? 개놈의 사기꾼들."

소주를 단숨에 들이켜며 타오르는 속을 달랜 오택수는 테이블을 검지로 두드리다 종혁을 봤다.

"실탄은?"

"무제한. 다 날려도 돼요."

날리면 날리는 대로 놈들을 쫓을 명분이 되어 줄 거다.

"오케이."

"우오으으오!"

"다 씹고 말해. 다 씹고."

오택수는 최재수의 뒤통수를 탁탁 쳤고, 최재수는 가드를 하면서도 열심히 파전을 씹었다. 물론 노려보는 것도 잊지 않았다.

마치 자신도 그걸 생각했다는 듯한 최재수의 눈빛을 일견한 종혁은 다시 입을 열었다.

"조언해 주실 건 없어요?"

"조언이라…… 걔들은 경찰이 아니라는 거?"

"당연한 말은 하지 말고요."

'에라이.'

아무래도 얻을 게 없을 것 같다 느낀 종혁은 소주를 연거푸 들이켰다.

'중경에 그놈이 있으면 좋겠네.'

어머니와 종혁 본인을 죽인 그놈.

절간 나무 냄새를 풍기던 찢어 죽일 새끼.

회사라는 놈들과 여러 차례 마주쳤으나, 아직까지 그놈에 대한 뚜렷한 단서는 얻지 못했다.

이번에는, 이번만큼은 그놈을 만날 수 있기를 종혁은 간절히 바랐다.

'정말…… 좋겠어.'

까드득!

종혁의 입안에서 쇠젓가락이 비명을 지르기 시작했다.

* * *

"두 달이나?"

"주말엔 올라올 거예요."

"어이구. 퍽이나."

"어? 나 왜 신뢰가 없지?"

"그럼? 수사 한 번 시작됐다고 하면 몇 날 며칠……."

"오케이. 사랑합니다."

종혁은 어머니 고정숙을 꽉 끌어안았고, 고정숙은 그 옆구리를 후려쳤다.

"악!"

"화장 망가지게 어딜."

"이제 가면 5일 동안 못 보는데!"

"아들, 아무리 너랑 나랑 모자 관계라도 징그러운 짓은 하지 말자. 요새 유행이 대범한 엄마, 시크한 아들이래."

"싫습니다."

종혁은 다시 그녀를 끌어안으며 온몸에 힘을 주었다.

왜일까. 놈들을 만나러 간다고 생각하자 유독 어머니가 눈에 밟힌다.

다시 안겨진 고정숙은 주먹을 부르르 떨다가 이내 종혁의 등을 토닥였다.

"가서 잘하고. 민폐 끼치지 말고. 가서 마음에 안 든다고 뼈 부러트리지 말고."

"엉?"

"네 아빠도 초임 순경은 사람 취급 안 했어."

종혁이 경찰에 대해 얼마나 큰 자부심과 자긍심을 가지고 있는지 알고 있는 그녀다.

걱정이 담긴 어머니의 눈을 빤히 본 종혁은 피식 웃었다.

"다녀올게요. 나 없다고 밥 대충…… 아, 철이랑 희야가 있지."

종혁은 오빠 하며 눈물을 그렁거리는 순희의 볼을 쓰다듬으며 순철을 봤다.

"어머니 부탁할게."

"걱정 마시라요."

"우리 희야도 부탁할게."

"걱정 마세요! 이잉……."

"아이구. 아주 가는 것도 아닌데 왜 울어."

결국 순희를 달래느라 예상한 시각보다 늦게 출발하게 된 종혁. 다행히 늦지 않은 시간에 충주의 중앙경찰학교에 도착한 그는 곧바로 교장실로 올라갔다.

"충성. 경정 최종혁. 중앙경찰학교 훈련교관 지원을 요청받고 지금 막 도착했습니다. 충성."

"오, 어서 와요. 어서 와."

종혁은 진심으로 반갑게 맞이하는 교장의 모습에 눈을 빛냈다.

* * *

해가 막 뜨기 시작하는 아침 6시.

따뜻한 봄인 4월이 갈 날도 얼마 안 된 상태지만, 아직까진 싸늘한 중앙경찰학교 연병장에 운동복을 입은 수백 명의 입교생들이 모여 수다를 떤다.

"야, 어제 들었어?"

"당연히 들었지! 본청에서 엘리트 간부가 왔다면서?"

모든 교육을 마치고 순경이 된다고 해도 감히 꿈조차 꿀 수 없는 본청. 아니, 지방청이라도 들어갈 수나 있으면 다행일까.

경찰이 되길 희망하는 그들로서는 몸이 달을 수밖에 없었다.

"그냥 간부가 아니라 팀장이래! 역대 최연소 팀장!"

"뭐 진짜?"

화들짝 놀란 그들은 이내 몽롱한 눈빛을 지었다.

'최연소 팀장이면 얼마나 대단한 아우라를 풍길까?'

그들은 종혁을 얼른 만나기를 희망했다.

그건 그들 사이 염세적인 눈빛으로 가볍게 스트레칭을 하고 있는 이충호도 마찬가지다.

'최종혁.'

회사의 일을 사사건건 방해한 악적.

"어이, 동태눈깔. 또 너만 운동하냐?"

이충호는 패거리를 이끌고 다가온 이십대 중반의 사내의 모습에 혀를 찼다.

"아침부터 시비 걸지 말고 가라."

"큭큭. 이제 어쩌냐. 새로 온 훈련교관이 졸라 잘생겼다는데. 이제 너 다른 여경들에게 외면받는 거 아냐? 오구오구, 이제 혼자 밥 먹겠네?"

"부럽냐?"

"뭐 이 새끼야?"

"발끈하는 거 보니까 맞네. 아, 그래서 계속 시비 걸었던 거냐?"

"이 씨발 새끼가……."

"야야, 교관들 온다."

"……너 씨발. 아침 먹고 보자."

대답 대신 중지를 치켜세운 이충호는 고개를 돌려 단상을 응시했다. 그리고 눈을 가늘게 떴다.

'크다.'

멀리 떨어져 있음에도 확연히 느껴질 정도로 몸이 위협적이다.

"자, 잘생겼다."

"응! 응!"

마치 강남의 귀공자를 보는 듯 피부 트러블 하나 없이 매끈하고 잘생긴 얼굴. 그래서인지 위협적인 몸조차 야성미 가득 풍기는 맹수처럼 느껴진다.

"모, 목소리는 어떨까?"

누군가의 말에 눈이 번뜩인 그들은 종혁의 입을 주목했다. 그건 이충호도 마찬가지였다.

첫 만남. 첫 대화.

'넌 어떤 타입이지, 최종혁?'

이충호의 눈이 먹이를 노리는 맹수의 그것처럼 날카로워졌다.

그리고 그 순간 종혁의 입이 느릿하게 열렸다.

"뭐야, 이 매가리 없는 병신들은."

철렁!

'……뭐?'

예상조차 하지 못했던 독설에 그들은 눈을 부릅떴다.

"반갑다. 앞으로 몇 주 동안 너희 병신들의 훈련을 담당할 교관 최종혁이다. 그런데…… 하나둘……."

종혁은 여전히 넋이 나간 입교생들의 숫자를 헤아리다가 옆에 서 있는 교관을 봤다.

"하, 선배님들. 설렁설렁 하시지 말라니까요. 이제 곧 현장 실습인데 숫자가 왜 이렇게 많습니까."

"이번 기수가 좀 잘 빠졌더라고."

"저게요?"

썩은 동태눈깔도 저보단 말똥말똥할 것 같은 수준의 눈빛들. 그리고 몸은 또 왜 저렇게 비실해 보이는지.

"……하."

피식 웃은 교관들은 잘해 보자며 종혁의 어깨를 두드렸고, 재차 한숨을 내쉰 종혁은 입교생들을 봤다가 고개를 모로 기울였다.

"뭐해, 이 병신들아! 뛰어!"

"으앗!"

"앗!"

입교생들에겐 참 최악인 첫인상이었다.

* * *

"하악! 학!"

햇볕이 쏟아지기 시작한 중앙경찰학교 운동장.

얼굴이 새빨갛게 달아오른 교육생들의 입에서 가쁜 숨이 쏟아진다.

그런 그들의 귀로 종혁의 우렁찬 외침이 내리꽂힌다.

"새로운 훈련교관이 왔다고 해서 좋아했겠지만, 너희가 동경하는 엘리트 중 엘리트 본청에서 왔다고 해서 좋아했겠지만! 미안하다! 난 너희를 합격시키기 위해 온 것이 아니다!"

총 32주의 교육 기간 중 고작 16주만이 지식을 배울 수 있는 기간이다.

인권 소양, 수사 법률, 현장 실무, 현장 대응 등 경찰로서 당연히 갖춰야 할 기본을 배울 수 있는 시간이 기껏해야 16주란 소리다.

이후엔 현장 투입. 현장에서 한가롭게 공부를 할 틈이 어디 있을까.

즉, 못 따라올 놈들은 여기서 걸러 내야 한단 소리다.

그게 서로에게 좋은 일이니 말이다.

'알아, 씨발!'

'뛰라고 할 때부터 알아봤다!'

준비 운동도 하지 못한 채 발에 땀나도록 뛰고 있다. 이미 몇 명은 다리에 쥐가 나 아침구보를 포기한 상태.

좋은 소리가 나오는 게 이상했다.

'앞으로 15분! 15분만 버티면 돼!'

군대의 아침점호와 똑같은 의미인 중앙경찰학교의 아침맞이는 총 30분이다.

종혁은 얼굴이 구겨지는 교육생들을 무심히 둘러봤다.

'여기까지는 나름 따라오네.'

솔직히 이런 느린 구보도 따라오지 못하면 정말 실망했을지 모른다. 종혁은 교육생 중에서 호흡을 다스리려 노력하는 이들을 체크했다.

그중엔 놈들이 심은 끄나풀 이충호도 있었다.

'놈들이 그냥 아무나 무작정 보냈을까?'

아닐 거다. 끄나풀이다. 중요 정보에 접근을 하고, 차단을 할 수 있는 요직에 가야만 하는 놈들. 그러려면 두각을 드러내야 한다.

성적과 체력 모두.

즉, 중상위권 이상은 모두 유심히 지켜봐야 될 대상이었다.

'일단 근성부터 체크해 볼까?'

종혁은 점점 속도를 늦추며 교육생들을 앞으로 보냈다.
그에 교육생들의 표정이 살짝 밝아진다.
덩치와 다르게 체력이 나쁘구나, 이제 곧 끝나겠다 그런 희망을 가졌다.
하지만…….
"지금부터 속도를 높인다! 나보다 늦는 놈은 감점! 뛰어……!"
감점이 쌓이고 쌓이면 퇴소인 중앙경찰학교.
아침부터 날벼락이 떨어진 교육생들의 입에서 결국 된소리가 터져 나왔다.
"씨바알-!"
"달려!"
"으아아아아아!"
우르르르!
순식간에 대형이 무너지고, 어떻게든 앞서가기 위한 아비규환이 벌어진다. 참 한심한 모습이었다.
그러나 종혁이 바라는 모습이기도 했다.
옅게 웃은 종혁은 발목에 힘을 주며 땅을 강하게 박찼다.
'그럼 나도 달려 볼까?!'
퍼억!
태릉선수촌 시절, 자칫하면 육상선수들도 놓치던 종혁의 주력이 발휘되었다.

사람이 녹초가 되는 데 얼마나 걸릴까.

교육생들은 그리 긴 시간은 필요 없다는 걸 여실히 깨달았다.

10분. 고작 10분이면 충분했다.

"허억! 헉!"

"끄헉! 웨에엑!"

운동장 여기저기, 누군가는 대자로 뻗고, 또 누군가는 헛구역질을 한다. 제대로 서 있는, 아니 끝까지 따라온 교육생이 10퍼센트를 넘기지 못했다.

종혁은 어이없다는 듯 바라봤다.

"씨발. 이건 해도 해도 너무하네."

아무리 군대 훈련소와 비교하면 파라다이스라는 소리를 듣는 중앙경찰학교라지만, 이건 정말 너무하다.

놈들의 근성을 체크하기 위해 아주 약간, 운동을 좀 한 일반인 기준으로 아주 약간 무리를 했을 뿐인데 다들 정신을 차리지 못한다. 똑바로 서 있는 놈이 거의 없다.

명색이 경찰이 되려는 놈들이 말이다.

'그렇게 경찰을 바꾸려 노력했는데…… 나 뭐했냐, 씨발.'

짜증이 정수리를 툭툭 건드리기 시작했다.

"정렬 안 해?! 자세 똑바로 안 잡아?! 용모 단정히 안 해?!"

"저, 정렬!"

"요, 용모 단정!"

종혁은 그들이 정렬을 할 때까지 기다렸다가 마이크를 들었다.
“일단 전원 감점.”
흠칫!
교육생들이 다급히 고개를 쳐든다.
종혁은 그 눈들에 서려 있는 억울함과 반발심에 더 짜증이 났다.
“본 교관은 너희들에게 실망했다.”
겨우 이따위 정신력을 가지고 왜 경찰을 하겠다고 시험을 본 걸까. 그냥 필기 시험만 있다면 말을 안 한다. 하지만 순경시험엔 엄연히 체력 평가도 있다.
“중경에 오기 전 이런저런 말들을 들어서 내심 기대를 했어.”
방금 전 교관들도 나름 잘 빠졌다고 하지 않았던가.
그런데…….
“이 모습이 지난 11주 동안 배운 전부야? 고작? 이게? 너희 그동안 뭐했냐?”
‘군대는 억지로 끌려간 거기라도 하지.’
그런데 이놈들은 경찰이 되겠다고 자진해서 온 놈들임에도 간절함이 단 한 톨도 보이지 않는다.
꼭 경찰이 되고 싶다는 간절함이.
이건 오늘도 일선 현장을 누비며 목숨을 거는 동료 경찰들을 욕보이는 행위였다.
현재 경찰이 여러모로 변화를 하는 중이라서 내심 기대

를 했던 종혁으로선 실망을 금할 수가 없었다.

"아니, 너힌 왜 경찰이 되고 싶은 거냐? 무슨 이유로 코피 흘려 가며 공부한 거냐? 경찰이 철밥통 공무원이라서? 파출소가 널널해 보이니까 월급도둑질을 할 수 있을 것 같아서? 아님 폼 나 보여서?"

"……."

아무런 말을 못한 채 고개를 숙이는 교육생들.

종혁은 그 모습에 완전히 실망해 버렸다.

"됐다. 그냥 너희 모두 퇴소. 끝. 시마이. 땡땡땡!"

퍼억! 삐이익!

종혁은 들고 있던 마이크를 집어던지며 돌아섰고, 끔찍한 말에 다급히 고개를 든 교육생들은 교관들과 함께 멀어지는 종혁을 황망히 쳐다봤다.

"퇴, 퇴소?"

"……이렇게 허무하게? 11주를 버텼는데?"

"씨발, 이건 너무하잖아!"

혼란에 빠진 그들은 남겨진 교관을 응시했고, 그중엔 이충호도 있었다. 그는 이 훈련소에 온 이후 가장 당황하고 있었다.

하지만 그건 남겨진 교관들도 마찬가지였다.

"뭐, 뭐해! 식당으로 안 가고!"

"……추, 충성!"

일단 한시름 놓은 그들은 혹여 교관의 마음이 바뀔까 얼른 식당으로 향했다.

* * *

전원 퇴소라는 폭탄에 화들짝 놀란 교관들이 다급히 종혁을 달랬다.

"아이고, 최 팀장. 첫 만남부터 너무 빡센 거 아냐?"

"빡세긴요. 정신 상태부터 글러먹은 놈들인데요. 아무리 순경 지망이라지만……."

"최 팀장이 이해해. 고작 16주 배워서 쟤들이 뭘 알겠냐."

"그래. 어떻게든 버티겠다는 마음뿐이지. 군대 훈련소처럼."

'……이 양반들부터 문제였구만?'

16주이기에, 너무나도 짧은 시간이기에 굴려서라도 더 가르쳐야 한다는 생각은 왜 못하는 걸까.

아니다. 아마 교관이 된 처음엔 그렇게 생각했을 거다.

'그러다 시간이 흘러 매너리즘에 빠진 거겠지.'

이해한다.

그래서 씁쓸할 뿐이었다.

"그런데 뭘 그렇게 적는 거야?"

"아, 운동장 상태에 대해 적고 있었습니다. 아침맞이 운동에 대해 개선할 점도요."

교관들의 눈빛이 묘해진다.

'역시 그냥 한 말이었구나!'

애초에 전원 퇴소는 말이 안 된다. 그럴 수도 없다.

하지만 종혁은 본청에서 온 간부가 아닌가.

중앙경찰학교의 직속 단체인 본청.

그런 곳의 간부가 계속 전원 퇴소를 고수했다가는 교관인 본인들의 입장이 곤란해질 수밖에 없다. 인사 고과라든지, 훈련실태 조사라든지, 감찰이라든지 말이다.

"어이구. 뭘 그런 걸 적고 그래?"

"너무 성실한데? 젊어서 그런가?"

종혁은 꼬리를 흔드는 것 같은 그들의 모습에도 짜증이 났지만, 이내 꾹 참아 내며 억지로 웃었다.

"제가 간부님들께 예쁨 좀 받잖습니까. 지원을 받을 수 있는 부분이 있을 것 같아서요."

종혁은 이걸 자신의 실책이라고 생각했다.

'경찰대뿐만 아니라 중경도 살펴야 했어.'

이들의 말처럼 군대 훈련소처럼 버티는 장소가 아니라, 경찰이 되기 위한 함양을 기르는 장소가 되어야 했다.

그랬다면 오늘 마주한 교육생들의 눈빛부터 달랐을 것이다.

'최재수나 한승연 같은 순경들을 겪었음에도…… 쯧. 그래도 아직 늦지 않았어. 조금씩 바꿔 가면 돼.'

솔직히 이번 기수는 많이 늦었다.

하지만 다음 기수부터는 조금씩 달라지게 될 것이다.

'최소한 치안 조무사란 말은 듣지 말아야지, 씨발.'

종혁은 그렇게 만들겠다고 다짐했다.

이충호를 제외한 그 조직의 다른 끄나풀을 찾기 위해 온 중앙경찰학교에서 해야 될 일이 생겼다.

'……씨발, 대한민국 경찰은 내가 다 바꾸지.'

어쩔 수 없다. 원래 간절한 놈이 손해를 보는 거였다.

그런 종혁의 마음을 아는지 모르는지, 지원이라는 말에 교관들의 눈빛이 달라졌다.

"일단 제가 주욱 둘러보고 궁금한 점을 말하겠습니다. 그때 귀찮으시겠지만……."

"그럼! 당연히 설명해 줘야지!"

"언제든지 물어봐!"

"감사합니다, 선배님들. 충성."

교관들은 갑자기 굴러 들어온 돌이 나긋나긋하게 굴자 그들은 짓궂게 웃었다.

"최 팀장, 그런데 퇴소는 어떡 할 거야?"

"맞아. 그렇게 말했는데 아무도 퇴소시키지 않으면 교육생들이 얕잡아 볼걸? 내가 좋은 방법 알려……."

"아, 걱정 안 하셔도 됩니다. 정말 퇴소시킬 테니까."

"……뭐?"

"뒤에서 10명 정도요."

작년부터 지금까지 중앙경찰학교를 거쳐 간 기수 중 최고 기수라는 평가를 받는 게 이번 기수라지만, 그게 무슨 상관인가?

11주를 훈련받았는데도 이 모양 이 꼴이라면 더 이상 봐줄 이유가 없었다.

어차피 점수가 아슬아슬한 놈들. 오늘 먹인 벌점이라면 충분히 퇴소시킬 사유가 됐다.

게다가 저 한심한 이들 중 한 명이라도 더 제대로 된 경찰로 육성하기 위해선 일단 통제부터 되어야 했다.

'그 방법으로 가장 손쉬운 게 공포지.'

지난 몇 년간의 수고가 언제든 물거품으로 사라질 수 있다는 공포.

그렇게 되면 놈들도 분명 어떤 반응을 보일 터. 일석이조라고 할 수 있었다.

"퇴소는 어느 선배님께 말하면 됩니까?"

"아마 지금 행정실에……."

"감사합니다. 충성."

종혁은 돌아서며 핸드폰을 들었다.

"나다. 아, 다름이 아니라 우리 기수 복무 언제 끝나냐? 어, 끝났어? 언제? 어제? 근데 왜 말 안 했는데, 개새끼들아."

교관들은 멀어지는 종혁을 멍하니 바라보다 기겁했다.

"씨발?!"

굴러온 돌이 첫날부터 사고를 치려고 하고 있었다.

최하위권 10명의 퇴소 소식에 중앙경찰학교가 얼어붙었다.

자진 퇴소나 벌점 누적으로 일주일에도 몇 명씩 퇴소를 하기에 퇴소가 일상이기도 한 중앙경찰학교.

그러나 여태껏 단 한 번도 10명이 무더기로 퇴소된 적은 없었다. 교육생들은 패닉에 빠지게 됐다.

"미, 미친 새끼."

종혁은 단 몇 분 만에 미친놈이라는 별명을 얻게 됐다.

"씨발, 우리가 어떻게 공부를 해서 여기까지 왔는데!"

"흐으윽!"

"울지 마! 왜 울어!"

혼란에 빠진 교육생들.

이충호는 턱을 긁으며 생각에 잠겼다.

'보통 또라이가 아닌데?'

번번이 회사의 일을 방해하던 종혁이 중앙경찰학교로 온다는 소식에 본사가 뒤집어졌다.

그에 회사는 서둘러 그 목적을 조사했는데, 참으로 황당한 이유였다.

너무 빠른 승진가도에 주위 간부들이 질시를 한다는 것. 그 소나기를 피하기 위해 잠시 몸을 숨기는 것.

그것이 종혁이 중경으로 오는 이유라는 게 회사의 조사 결과였다.

그래서 본사는 이충호에게 하나의 지령을 하달했다.

"흐음……."

이충호가 지령의 내용을 떠올리는 그 순간이었다.

"충호야!"

뒤에서 달려온 덩치 큰 남성이 이충호를 덮친다.

순간 눈빛이 서늘해졌던 이충호는 이내 자신을 공격한

사람이 누군지 알아차리곤 세웠던 손끝의 힘을 풀었다.
"다현아."
정다현.
역도로 태릉까지 갔던 인재로, 어깨 인대가 끊어지며 특채가 아닌 순경 공채로 중경에 오게 되었다.
"우리 허약한 충호 괜찮아? 퇴소자들 때문에 많이 놀라진 않았어? 어이구, 가벼운 것 좀 봐. 이러다 성적으로 번 점수 체력 평가로 다 깎아 먹으면 어떡해? 형이 같이 운동해 줄까?"
"……네가 너무 튼튼하다는 생각은 안 하냐?"
"내가? 에이, 난 평균이지. 진짜 괴물은 그 인간이고."
"그 인간?"
"최종혁. 전 유도 국가대표 역대 최연소 주장이자, 역대 최연소 수석코치. 피지컬로는 모든 스포츠 중 최강이라는 레슬링도 그 인간 앞에선 고개도 못 들 정도였어."
종혁에 대한 정보다. 본사에선 간략하게만 보낸 프로필을 보강할 수 있는 정보.
이충호의 눈이 빛났다.
"힘으로 누른 거야?"
"응. 그 인간 프라이드가 미칠 듯이 강해서 당시 누가 유도 국대를 무시하면 10년 위의 선배고 뭐고 멱살부터 잡았거든. 그러면서도 유도 선배들은 또 깍듯이 모시고…… 어, 야! 병훈아!"
"왜요?"

"너 최종혁 그 인간 본 적 있지? 너 유도 국대였잖아."

"글쎄요? 전 그 황금 세대가 아니라서 잘 모르지만, 선배들이나 코치님들에게 듣기론 정말 주장다운 주장이었대요."

"황금 세대?"

"방콕에서 시드니까지 유도 메달은 죄다 한국 차지였잖아요. 지금도 성적이 나쁘진 않지만, 진짜는 그 인간 세대죠. 정확히는 그 인간이 만들고 이끈 세대. 유도 명문 학교에서 시행되는 훈련법과 스포츠 의학, 영양학 모두 죄다 그 인간이 개발한 걸 따라 한 거잖아요."

당시 유도 황금기를 이끈 사람이 바로 종혁이었다.

지금도 고등학교로 진학하는 중학 유도선수들의 제1지망은 종혁의 모교인 동일고다. 종혁의 흔적이 가장 강하게 남아 있는 동일고.

"그렇게 머리도 좋아서 경찰대를 수석으로 입학했잖아요. 그때 참 말이 많았다던데…… 전 세계를 발밑에 둘 왕이 경찰 됐다고."

"……중2병이야?"

"운동선수 유치한 건 다현이 형도 알면서."

"들었지? 그렇대."

"……정말 괴물이네."

듣기만 해도 알 것 같다.

하지만.

'흠…… 그래도 언제든 제거할 수 있을 듯한데? 왜 가

만 놔두는 거지?'

이충호에겐 오픈된 정보라고는 간략하게 정리된 프로필이 전부였기에 판단을 내리기가 쉽지 않았다.

'일단 어머니와 이야기를…….'

"야, 애비 없는 놈. 또 병신이랑 어울리냐?"

편모가정의 외동아들로 위장한 이충호.

이충호는 또 시비를 거는 이십대 중반의 사내에게 중지를 치켜세워 주고 걸음을 옮겼다.

오전 학과 수업을 가야 할 시간이었다.

"저 새끼가!"

* * *

"이충호. 1983년 태생. 7살 때 입양. 편모가정이며 중학교 자퇴 후 검정고시 패스. 어머니의 이름은 정옥희. 나이 49세."

이충호가 장님이 문고리 더듬듯 종혁에 대한 정보를 알아 갈 때, 종혁은 이충호의 배 속까지 들여다보고 있었다.

"현재 시장에서 2000원짜리 백반집을 운영하며 돈 없는 노인들을 먹여 살리는 중…… 지랄."

순수한 마음으로 이런 짓을 할 놈들이 아니다.

"김 대리가 말한 안가 관리인인가 보군."

작전이 실패하거나 작전 성공 후 잠시 머무는 안전 가

옥. 회사에는 그 안전 가옥을 관리하는 이들이 따로 있다고 했다.

"나탈리아, 이년은 이게 몇 번째 신분일까요?"

―더 조사해 봐야겠지만, 그년이 시장에 나타나기 이전, 즉 8년 전부터의 행적이 불분명해요. 이충호도요. 정말 7살 때 입양이 됐는지조차 명확하지 않아요.

둘 모두 8년 전에 그 시장에 등장을 한 것이다. 그 이전에는 존재했다는 흔적 자체가 없다.

"8년 전이면 IMF 때문에 한참 고통을 겪을 시기군요."

수없이 망하고 또 새로 생겨나던 혼란과 암울의 시기.

하지만 이 자료를 보니 사람들 사이로 파고들어 숨기엔 참 좋은 시기로 보였다. 아니, 새로운 신분을 만들기에 너무도 좋은 시기였다.

"진짜 지랄 났다."

잔꾀가 좋아도 이렇게 좋을 수 있을까.

―걱정 마세요. 다른 건 다 위조해도 결코 위조할 수 없는 게 있잖아요.

"지문."

―정답. 후훗.

"하지만 그 당시에는 지문 데이터베이스가……. 하긴 그 이전의 행적만 알아도 소득이겠네요."

―그래서 인력을 더 충원해야겠지만, 나의 최를 위한 일인걸요.

이미 김 대리 등이 지금 신분을 얻기 전에 머물렀던 곳에 감시 인력이 파견되어 있는 상태다.

혹시라도 다시 올 걸 대비해서 말이다.

그런데 이번엔 안가 관리인으로 추정되는 인물이 레이더에 걸렸다. 여태까지와는 다른 방향에서 놈들의 몸통을 타고 올라갈 수 있을 것 같았다.

"이런. 그렇게 말하면 내가 너무 부담을……."

쿵쿵!

"최 팀장!"

"……일단 끊도록 하죠."

노트북도 닫은 종혁은 배정받은 숙소의 문을 열었다.

"무슨 일이십니까, 선배님?"

"학교장님께서 찾으셔."

"학교장님께서 말입니까? 무슨 일로?"

"내가 알아?!"

종혁은 버럭 화를 내는 교관을 무시하며 볼을 긁었다.

'흠. 오늘 퇴소 때문인가? 승인을 해 놓고 왜?'

종혁은 고개를 모로 기울이며 소식을 알리러 온 교관을 따라나섰다.

* * *

"하루도 안 되어 또 보게 됐습니다, 최 교관?"

뼈가 있는 말에 종혁은 입맛을 다셨다.

"물의를 일으켰다면 죄송합니다. 하지만 어쩔 수 없는

조치였습니다."

"압니다. 그들이 퇴소 대상이었다는 걸 말이죠. 퇴소를 당할 이유가 있으면 당연히 중경을 나가야죠."

'표정은 그런 게 아닌데?'

나 지금 불쾌하다는 감정이 희미하게 드러나 있다.

"그보다 우리 중경을 둘러본 소감은 어떻습니까?"

"음. 아직 다 둘러보지 않아서 뭐라 평가를 내릴 순 없지만…… 역사와 전통이 살아 있는 게 가슴 깊숙이 느껴졌습니다."

다른 말로 굉장히 낡았다는 뜻이었다.

"허허. 그래요? 경찰대와 비교하면 어떻습니까? 아니, 간부 육성을 위해 모든 편의를 제공하는 경대와 비교할 수는 없겠죠. 요샌 더 좋아졌다는 그곳과요. 안 그렇습니까?"

종혁은 그제야 교장이 자신을 부른 이유를 알아차리게 됐다.

'돈을 토해 내란 소리구나.'

종혁 본인이 경찰대에 기숙사를 신설한 걸 들은 게 틀림없다.

무너지는 표정을 겨우 수습한 종혁은 잠시 생각에 잠겼다.

"음. 치안감님께선 이 중경에 입교하는 교육생들을 어떻게 생각하십니까? 그들이 과연 경찰로서의 덕목을 갖추고 있다고 생각하십니까?"

그 말에 학교장의 낯빛이 딱딱하게 굳는다.

“……이봐, 최 경정.”

“경정 최종혁.”

“그 나이에 경정 다니까 눈에 뵈는 게 없나? 오냐오냐 해 주면 선을 지켜야지, 지금 이게 뭐하자는 짓이야!”

교육생들의 자질을 의심한다는 건, 그들을 입교시킨 학교장의 자질을 의심하는 것과 다를 바 없었다.

눈앞에서 무시를 당했다고 느낀 학교장의 표정이 험악하게 일그러졌다.

그러나 종혁은 살벌한 압박이 심장을 짓눌러 옴에도 태연히 입을 열었다.

“제가 봤을 땐 다들 형편없어서 말입니다. 현장에 배치되면 칼 맞고 죽기 딱 좋은 수준이랄까요?”

“야!”

“그러니 교육 기간을 늘려 보시는 건 어떻습니까?”

“……음?”

“32주가 아니라 40주, 가능하다면 그 이상으로 말입니다.”

종혁은 의미심장하게 웃었다.

학교장실에 내려앉은 침묵이 숨통을 압박한다.

그리고 학교장의 머리가 빠르게 돌아간다.

‘중경의 교육 기간을 늘린다?’

솔직히 그라고 왜 중경의 문제에 대해 모르겠는가.

고작 32주다. 그나마 이것도 최근에서야 24주에서 32주로 늘어난 거다.

하지만 그래 봤자 교내 교육과 현장 실습 시간을 나누면 반밖에 되지 않는 16주.

16주 동안 가르쳐 봤자 얼마나 가르칠 수 있을까. 그저 겉핥기로만 가르친 후 실습에 내보내는 것이다.

그 결과 당연히 전문성은 떨어질 수밖에.

그러한 문제점을 알고 있음에도 현행을 유지하는 데는 여러 이유가 있지만, 지금은 그게 문제가 아니다.

교육 기간이 늘어난다는 건 곧 학교장인 그의 임기와 권한도 늘어난다는 것.

당연히 혹할 수밖에 없다.

"……되겠나?"

"아실지 모르겠지만, 곧 경찰 예산이 더 늘어나게 될 겁니다."

종혁은 그렇게 말했으나 사실 예산이 증대될 예정은 없었다.

하지만 아무런 문제도 될 건 없었다. 사실로 만들면 그만인 일이었으니까.

돈이라면 차고 넘치는 종혁에게 적당한 이유를 붙여 후원금이라는 명분으로 지원하면 간단한 문제였다.

"그걸 중경으로 돌린다면 충분히 가능하지 않겠습니까?"

"……자네 뭔가를 알고 있군."

종혁은 대답 대신 웃기만 했고, 학교장의 눈이 데구루루 돌아갔다.

"으하하하핫! 미안합니다. 내가 최 교관의 깊은 뜻을 오해했어요!"

"죄송합니다. 제가 어리다 보니 화법이 많이 어설픕니다."

"아니에요, 아니야. 그 나이에 이 정도면 훌륭하죠. 우리 경찰의 미래가 참 밝습니다. 뭐 필요한 건 없습니까?"

종혁은 눈을 빛냈다.

"있습니다."

"오, 뭔데요?"

"이번 기수 정원 미달. 커트라인 안쪽으로 100명을 쳐낼 수 있게 해 주십시오."

움찔!

종혁은 다시 표정이 굳는 그를 향해 이유를 설명했다.

"교육생의 수준을 알리자라……."

"예. 하지만 교육생의 수준이 미달된 게 어떻게 치안감님의 잘못이겠습니까. 다…… 예, 그런 거죠."

교관들의 방만한 교육 탓.

학교장은 눈을 가늘게 떴다.

'킹메이커라고 불린다지?'

그동안은 최기룡과 이택문이 종혁을 키우기 위해 그런 수식어를 붙여 준 거라고 생각했는데, 그런 말이 나온 이유가 있었다.

'새까맣게 어린놈이 능구렁이를 품고 있군.'

학교장은 의미심장하게 웃었다.

"……이런. 내가 너무 교관들을 믿었나 보군요. 지금이라도 알게 해 줘서 고맙습니다."

'아닙니다. 제가 더 고맙죠.'

일이 더 쉽게 풀리게 됐으니 말이다.

'자…… 이제 발버둥 쳐 봐라, 개새끼들아.'

커트라인 안쪽이라고 했지, 밑에서부터라곤 안 했다.

어떻게든 상위권으로 올라가기 위한 발버둥. 그건 분명 표시가 날 수밖에 없었다. 또 위기감을 느끼면 서로 뭉치기도 할 터.

종혁은 입술을 비틀었다.

"뭐 마실래요?"

"주시는 거라면 무엇이든 감사히 먹겠습니다."

학교장실에 우렁찬 웃음꽃이 피었다.

* * *

"너 퇴소. 너도 퇴소."

고작 3일이다.

3일 만에 무려 60명이 퇴소 절차를 밟았다.

훈련생들의 심장이 아기 주먹보다 더 작아졌다.

의전경이나 군대, 운동을 한 사람들이 말하길 파라다이스.

훈련의 강도가 상대적으로 많이 약하기 때문에 그렇게 불렸다.

그러나 이제 더 이상 중앙경찰학교는 파라다이스가 아

니었다. 언제 목을 베어 버릴지 모르는 칼날이 사방에서 번뜩이는 지옥이 되어 버렸다.

그나마 다행이라면 최하위권만 퇴소를 당한 거랄까.

하지만 그게 큰 착각이란 걸, 지금부터가 진짜 시작이란 걸 그들은 알지 못했다.

"168번 퇴소. 이유 벌점 초과 및 의지박약."

쿵!

체육관에 경악의 폭풍이 휘몰아친다.

"제, 제가 말입니까?!"

가장 이해할 수 없는 건 168번이다. 하위권이지만 분명 안전선에 있었던 그.

"어. 꺼져. 다들 뭐하고 있지? 계속해."

종혁은 교육생들의 표정을 빠르게 훑었고, 그렇게 매정히 등을 돌리는 종혁의 모습에 168번 교육생은 이를 악물며 돌아섰다.

'이거 꼭 중경에 재소한다! 어떻게든 재소할 거야!'

그때였다.

"지금 뭐하시는 겁니까! 직권 남용 좀 그만하십쇼!"

"직권 남용?"

'이름이 도병훈이라고 했던가?'

유도 국대 후배였다.

종혁은 억울함과 분함이 가득한 그 얼굴에 코웃음을 쳤다.

"뭐가 직권 남용이지? 그리고 또 뭐가 그렇게 억울한데?"

"지금 눈에 안 차는 교육생들을 모두 쫓아내는 거 아닙니까! 당신의 잣대를 우리에게 들이밀지 말란 말입니다!"

"잣대라……."

종혁은 어이없다는 듯 웃었다.

"계속해 봐."

"우리가 이 중경에 오기 위해 얼마나 노력했는지 아십니까? 몇 년을 코피 쏟아 가며 노력했는지 아시냔 말입니다-!"

도병훈의 외침은 현재 얼어붙은 훈련생 전체의 마음을 대변하는 것이었다.

하지만…….

"푸흐흐. 하, 이거 미치겠네. 168번 컴온."

"예? 예!"

작은 희망을 품은 168번은 다급히 달려왔다.

"168번. 3일 전 몇 시에 잤지?"

"예? 여, 열한 시에 잤습니다!"

"그날 복장 불량과 수업 중 졸아서 지적받은 횟수는?"

"……7번입니다."

"옆 사람이랑 잡담 나누다가 걸린 것까지 13번이잖아, 씨발놈아. 됐고. 그럼 저번 평가 성적은? 입교부터 지금까지 체력은 몇 퍼센트나 향상됐지? 대가리에 담은 법률의 개수는? 판례는? 사건의 숫자는?"

심지어 체포술 훈련 땐 장난을 치거나 미적거리기까지 했다.

“…….”

종혁은 얼굴이 새빨갛게 달아오른 168번을 무시하며 도병훈을 봤다.

“들었냐? 얘 이런데도 11시에 잤단다.”

도병훈의 얼굴도 빨갛게 달아오른다.

“몇 년을 죽어라 공부하면 뭐하는데? 이미 이렇게 정신줄을 놨는데. 이래도 내가 내 잣대를 들이대는 것 같냐?”

“하, 하지만 그건 너무 FM입니다! 사람이 어떻게…….”

“야. 야, 이 하나만 아는 머저리 새끼야. 그 FM을, 매뉴얼을 제대로 지키지 못해서 칼 맞고, 차에 치여 뒤지는 곳이 현장이야. 그리고…….”

종혁은 도병훈의 가슴을 쿡 찔렀다.

“그렇게 FM을 하찮게 여기는 너 때문에 동료 경찰과 죄 없는 시민이 사망하는 거고. 그게 살인자 아니면 뭐냐? 너 살인자 되려고 시험 쳤냐? 오, 씨발. 훌륭한데?”

“그, 그건…….”

“지금 학교 수련회에 온 줄 알아-?!”

체육관을 쩌렁쩌렁 울리는 종혁의 외침에 교육생들은 어깨를 움츠렸다.

“다들 잘 들어. 너희가 사회에서 어떤 지랄을 해서 여기에 왔는지는 상관없어. 왜? 너희들이 택한 일이니까. 하지만 여긴 범죄자를 때려잡고 국민을 지키는 방법을 가르치는 곳이다! 그런데! 그렇게 배워 놓고도 매뉴얼을 무시한 너 하나 때문에 취객이 도로에서 얼어 죽고!”

종혁은 도병훈의 발목을 걷어찼다.

쿠웅!

"컥!"

"귀찮아서 훈방으로 되돌려 보낸 경범죄자가 신고한 PC방 알바를 칼로 찔러 죽이고! 경찰의 도움을 간절히 바라던 아이와 엄마가 스토커에게 찔려 죽고-!"

작은 실수, 부주의 때문에 동료 경찰이 차에 치이고, 칼에 찔려 사망한다.

"알아들었냐, 이 안일한 새끼야? 니들도 마찬가지야! 이 새끼처럼 생각하는 놈 있으면 지금이라도 짐 싸서 꺼져! 괜히 죄 없는 사람 죽이지 말고!"

국민을 지키라고 있는 게 경찰인데, 그 경찰 때문에 국민이 죽는 것만큼 아이러니한 상황이 있을까.

소 잃고 외양간 고치는 것도 이젠 좀 그만했으면 싶었다.

종혁은 침묵이 내려앉은 체육관을 둘러보다 싸늘하게 일갈했다.

"168번, 아니 오종수 씨는 꺼지시고. 도병훈 넌 항명으로 3점 감점."

"……."

종혁은 교육생들을 훑어봤다.

"내 말에 불만이 있으면 언제라도 찾아와. 손 들어. 내 교육관이 마음에 안 들어서 완력으로 쫓아내려고 오는 것도 오케이. 하지만 아무런 생각 없이 그냥 좆같아서 찾아오는 거면 찢어 버린다."

"……."

'진짜 FM만 지키자, FM만. 개새끼들아.'

일부를 제외하면 죄다 일선 파출소로 가야 할 교육생들이다.

그렇기에 FM, 매뉴얼은 뼈가 부러져서라도 지켜야 한다.

그래야 살기 때문이다.

피해자가, 동료가, 그리고 본인이.

세상 사람들 전체가 융통성 있게 살아도 FM을 지켜야 하는 게 경찰이었다.

'뭐, 이렇게 말해도 알아 처먹겠냐마는.'

그래도 가르치고 주지시켜야 하는 게 교관으로서의 할 일이었다.

"뭐해? 계속해. 또 전원 감점받고 싶냐?"

"추, 충성!"

종혁은 다시 봉을 드는 교육생들을 가만히 응시하며 차트를 들었다.

그 순간이었다.

지이잉! 지이잉!

'음?'

발신자를 확인한 종혁은 히죽 미소를 지으며 몸을 돌렸다.

"어, 그래. 나야."

이충호는 걸음을 옮기는 종혁을 차갑게 노려봤다.

그날 저녁 식사 시간.

식당에 젓가락, 숟가락이 달그락거리는 소리만 울린다.

며칠 전과는 확연히 달라진 훈련 강도에 몸과 마음이 모두 지친 것도 있지만, 오늘 종혁의 말 때문이기도 했다. 숙연함이 식당을 짓눌렀다.

"씨발. 괜찮냐, 병훈아?"

"……몰라요, 씨발."

얼굴을 구긴 도병훈은 시큰거리는 발목을 주물렀다.

'그 인간 옷깃을 안 잡고도 정확히 발목을 후렸어.'

도병훈 본인의 몸무게가 91킬로그램이다.

그럼에도 종혁은 너무도 쉽게 자빠트려 버렸다. 몸의 중심을 흔들지도 않았는데 말이다.

그 아득한 실력 격차에 이가 악물어질 수밖에 없었다.

그런데 그보다 더 이가 악물어지는 건 종혁의 말에 아무런 반박도 할 수 없던 자신의 모습이었다.

'난 대체 왜 경찰이 되려고 한 거지?'

분명 이유가 있었던 것 같은데 이젠 모르겠다.

"다현이 형. 형은 왜 경찰이 되려고 했어요?"

"나야 뭐……."

배운 것 하나 없이 운동만 하던 병신 놈에게 정년까지 보장된 일은 몇 개 없어서였다.

지방직인 소방관보다는 편해 보이면서 국가직인 경찰. 하지만 오늘 종혁의 외침을 들으니 그 이유를 입에 담을 수가 없다.

그런 정다현의 마음을 이해한 도병훈은 이충호를 봤다.

"충호 형은요?"

"……아, 난 아버지가 경찰이셔서."

"죄, 죄송해요."

"됐어. 오래전에 돌아가셨는걸, 뭐. 그보다…… 좀 짜증 나더라."

"누구? 최 교관?"

"응. 자기가 겪어 보지도 않았을 일들을 그렇게 주저리주저리 떠드는 걸 보니 역겹더라고."

'범죄자를 때려잡고 국민을 지킨다고? 그럼 왜…… 난 지키지 못한 거지?'

아직까지도 기억이 생생하다.

9살 어느 무더운 여름날, 선풍기 바람도 덥기만 해 열어 놓은 현관문으로 들어온 강도가 일으킨 참변이.

도망치라고 외치던 아빠의 찢어지는 외침이.

여기에 숨어 있으면 괜찮을 거라며 장롱문을 닫던 엄마의 서글픈 미소가.

하지만 범인은 결국 잡히지 않았고, 친척들은 유산을 가로채고 자신을 길거리로 내쫓았다.

그러다 흘러 들어간 서울역. 매일 구타를 당하고, 적선을 해 오라 한겨울 반바지만 입은 채 구걸을 해야 됐다.

그때 지금의 어머니에게 구해졌다. 아니, 삶을 구원받았다.

자신의 가족을 죽인 강도도 어머니가 복수를 할 수 있

게 도왔고, 서울역에서 자신을 괴롭히던 놈들도 어머니 덕분에 죽일 수 있었다. 유산을 가로챘던 친척들도 마찬가지였다.

경찰은 국민을 지키거나 구하는 존재가 아니다.

'말만 그럴듯한 무능한 돼지 새끼들이지.'

정말 사람을 구해 주는 곳은 회사였다.

오직 회사만이 삶을 구해 주는 곳이었다.

"그, 그래?"

다현은 고개를 모로 기울였다.

"그럼 우리랑 같은 나이에 그걸 다 겪어 봤겠어?"

'아, 아닌데. 분명 겪어 본 사람만이 할 수 있었던 절규 같았는데…….'

그만큼 처절하게 느껴졌다. 그래서 부끄러워져 경찰을 지망한 이유를 입에 담지 못했던 것이었다.

"지금 저것도 봐."

식기를 씻고 식당을 나선 이충호는 참 타이밍 좋다며 멀리서 걷고 있는 종혁을, 한 여성과 팔짱을 끼며 걷는 종혁을 가리켰다.

"한 잔만 더 하자! 한 잔 더! 오빠앙!"

"이게 미쳤나. 야, 팔짱 안 빼냐? 숨질래?"

숨길 생각조차 없는지 큰 목소리로 외치는 둘.

이충호는 피식 웃었다.

"봤지? 저놈도 말만 번지르르한 새끼야."

"……씨발. 좆같네."

작게 쌓이던 존경심이 와르르 무너지자 그 자리를 채운 건 배신감과 분노였다.

"야, 도병훈. 아까 저 새끼가 자기 교육관이 마음에 안 들면 완력으로 쫓아내도 된다고 했지?"

"응. 그랬지."

"애들 동원해. 날 잡아서 씨발 맞짱 뜰 테니까. 감히 이 신성한 중경에 술 취한 여자를 데려와?!"

이충호는 이를 가는 다현을 보며 입술을 비틀었다.

'최종혁과 친해질 수 있는 기회가 드디어 열렸군.'

어머니가 건네준 본사에서 내려온 지령.

최종혁에게 접근해 친해져라. 그리고 널 픽업하게 만들어라.

순경시험 합격이라는 지령 아닌 지령 따위가 아니라, 정말 지령다운 지령이었다. 이게 그의 인생에 있어 첫 번째 지령이었다.

'아무리 괴물이라도 과연 몇 명이나 상대할 수 있을까?'

그렇게 개박살 났을 때 슬그머니 접근해서 위로해 준다면?

그러면서 훈련생들을 통제할 수 있도록 돕는다면?

"큭큭."

지난 3일간 관찰을 한 덕분에 견적이 잡혔다.

리더십이 강한 사람일수록, 승승장구를 해 온 사람일수록 한 번 무너지면 걷잡을 수 없이 무너지는 법.

'내게 기대게 아니 집착하게 만들어 주지.'

이충호의 입가에 비릿한 미소가 피어올랐다.

* * *

이틀 후, 다시 체육관.

무도수업 보조를 위해 오랜만에 유도복을 입은 종혁은 먼저 대기하고 있던 여 사범을 향해 정중히 다리를 모아 허리를 숙였다.

"최종혁 경정입니다."

여자특공대 2기의 정미정 사범.

그녀는 종혁의 옷차림을 빤히 살피곤 흡족하게 웃었다.

퍼억!

갑자기 어깨를 때리는 우악스런 손길에 깜짝 놀랐던 종혁은 열게 웃는 그녀의 모습에 피식 웃었다.

"정미정이다. 앞으로 몇 주 동안 잘 부탁한다."

"저 역시 잘 부탁드립니다."

"가자."

그녀를 따라 체육관에 들어가자 하얀 도복을 입은 백여 명의 교육생들이 뜨거운 기운을 뿜어내고 있었다.

'음?'

종혁은 자신을 향해 모이는 시선에 미간을 좁혔다.

어제부터 묘하게 시선이 모였는데, 오늘은 아주 노골적

이다. 대다수가 적개심 어린 눈빛을 보내고 있었다.

"자, 오늘도 즐거운 무도수업 시간이 찾아왔다. 다들 체조 대형으로 벌려!"

"……."

종혁과 크게 외친 정미정의 눈썹이 동시에 꿈틀거렸다. 교육생들이 움직일 생각도 안 했기 때문이다.

정미정의 얼굴이 와락 구겨졌다.

"이 자식들이?! 내 말 안 들려?!"

반사적으로 움찔 몸을 굳힌 교육생들이 이를 악물며 제자리를 지킨다. 그에 정미정은 당황할 수밖에 없었다.

하지만 종혁은 아니었다.

어제 한 교육생이 와서 고발을 했다. 교육생들이 뭔가를 꾸미는 것 같다고 말이다.

그때, 그중 한 명이 손을 들었다.

"사범님, 죄송합니다. 저기 방에 여자나 끌어들이는 문란하고 저급한 최 교관과 같이 수업을 듣지 못할 것 같습니다!"

"뭐, 뭣?"

'여자?'

무슨 말인지 모르겠지만, 지금 무슨 일이 벌어지고 있는지 대번에 파악이 됐다.

수업 거부다.

그것도 무도수업을 택한 교육생 전부가 수업 거부를 하고 있다. 적개심 가득한 눈빛이 그 증거였다.

"오, 옳소!"

"말로만 하면 누가 못해!"

"물러가! 꺼져!"

"꺼져라! 꺼져라!"

순식간에 체육관이 달아오르고, 정미정은 처음 겪는 사태에 당황해 어쩔 줄 몰라 한다.

그때 손을 들었던 사내, 정다현과 20명 정도의 덩치들이 껄렁이며 앞으로 나섰다.

"어이, 최 교관. 자기 교육관이 마음에 안 들면 완력으로 쫓아낼 수 있다고 했지? 맞짱 뜹시다, 씨발."

'지가 아무리 괴물이어도 스무 명을 상대로 어쩔 건데?'

부리부리한 눈으로 노려보는 정다현과 교육생들의 모습에 종혁은 고개를 푹 숙였다.

하지만 그것도 잠시. 곧 종혁의 어깨가 들썩이기 시작했다.

"크크크크! 아, 씨발. 푸하하하하하하하!"

"뭐, 뭐야!"

"와, 진짜 돌겠네. 왜 애새끼들은 말로 하면 알아 처먹지를 못하지?"

손톱만큼도 기대 안 하길 잘한 것 같다.

종혁은 눈빛이 여전한 훈련생들을 훑어보는 척 이충호를 눈에 담았다. 뭔가 뜻대로 되어 간다는 듯한 비릿한 미소.

'그래, 네가 부추겼다고 했지?'

정다현, 이충호, 도병훈 이 셋이 몰려다니는 걸 왜 모를까.

"그래. 뜨자, 떠."

'너흰 아무래도 반 죽어야겠다.'

종혁은 허리에 찬 벨트를 풀며 도복 상의를 느릿하게 벗었다.

그렇게 순순히 종혁이 싸우려는 자세를 취하자 순간 당황했던 정다현과 일행은 이내 얼굴을 구기며 주먹을 쥐었다. 교육생들은 결국 시작되려는 싸움에, 누구나 예상할 수 있는 결과에 몸을 떨며 흥분에 젖어 갔다.

그 순간이었다.

"누가 우리 대장님 괴롭혀-!"

체육관을 짜랑짜랑하게 울리는 여성의 외침.

모두가 놀라 체육관 입구를 쳐다봤다.

이십대 중반에서 후반의 남녀들이 걸어 들어오고 있었다.

그도 모자라 종혁의 앞에 좌우 일렬로 서며 차렷 자세를 취한다.

그리고 168센티미터 정도 되는 여성치곤 큰 체구의 단발머리 미녀가 앞으로 나서며 크게 외친다.

"전체 차렷! 최종혁 대장님을 향해 경례!"

"충-성!"

"경위 임세라 외 경찰대학교 48기 9명 지금 막 도착하였기에 이에 신고합니다. 충성!"

체육관에 침묵이 내려앉고, 정다현과 이충호는 눈을 부릅떴다.

'저, 저 여자는?'

이틀 전 저녁 종혁의 팔짱을 낀 채 주정을 부렸던 여자다.

종혁은 똘망똘망한 눈으로 쳐다보는 임세라와 동기들의 모습에 코웃음을 쳤다.

"지랄한다. 왜 이렇게 일찍 왔어?"

오늘 종혁이 이들을 부른 것은 맞다.

그건 어디까지나 중앙경찰학교의 견학과 비전을 이야기 나누기 위해서였다. 중앙경찰학교에 대한 비전을 말이다.

"너 설마 그제부터 집에 안 들어갔냐?"

"아, 아닌데? 집에 갔다 왔는데? 얘들 때문에 일찍 온 건데?!"

"와, 이년 보소? 불리하니까 바로 동기를 팔아먹네?"

"거봐. 내가 저년 저럴 거라고 했지?"

"으흠흠. 그래서 우리 종혁이 뭐하고 있는 중이었어? 요기 토실토실 애기들이랑 투덕투덕하려고 했쪄?"

종혁은 필사적으로 화제를 돌리려는 그녀를 향해 고개를 끄덕여 줬다.

"어."

"뭐?"

임세라뿐만 아니라 다른 동기들도 경악한다.

종혁은 정다현을 가리켰다.

"재가, 아니 재들이 맞짱 뜨자는데?"

움찔 놀란 임세라는 고개를 돌려 입을 열었다.

"동기야, 요새 애들 자살하는 방법이 참신해진 것 같지 않냐?"

"그러게. 삶에 미련이 없나? 그럼 왜 중경에 왔지?"

고작 스무 명. 몸이 탄탄한 사람은 몇 명 보이지도 않는다.

그렇게 이해할 수 없는 현상에 당황한 것도 잠시. 이내 곧 그들의 눈이 짓궂음을 머금는다.

"형아!"

"꺼져! 나부터야!"

퍼억!

"억?!"

"옵빠-! 세라눈 심심한데! 세라두 남자랑 이케이케 하고 싶은데!"

"형! 규철이도 막막 그러고 싶은데!"

'음?'

종혁은 자신만만해하는 임세라와 동기들을 훑어보곤 그들과 똑같은 미소를 지었다. 갑자기 재밌는 생각이 났다.

"뭐, 그래라."

"히힛! 땡큐!"

"뭐, 뭐?! 이봐! 지금 뭐하는 거야! 우린 최 교관 당신과……."

"아, 걱정 마라. 얘들 중 한 명이라도 지면 나 교관 안 할 테니까. 그냥 방에서 뒹굴거리다가 때 되면 돌아갈게. 아, 이럴 게 아니라 그냥 이번 기수 교육생들 전부 불러오는 게 어떻겠냐? 나도 학교장님에게 허락받을 테니까."

"뭣?!"

"귓구멍에 좆대가리를 처박았어? 너희 기수 전체랑 나 포함 여기 11명이 캐삭빵 뜨자고. 씨발, 애새끼들아."

체육관에 다시 침묵이 내려앉았다.

* * *

놀랍게도 이 일에 학교장의 승인이 떨어졌다.

그에 교육생들이 모두 체육관으로 몰려들었고, 제법 많은 다수가 종혁에게 적개심 어린 눈빛을 보냈다.

이상할 것도 없지만, 놀라운 건 교관과 부장들의 눈빛이다.

그들은 감히 수업 거부라는 초유의 사태를 벌인 교육생들을 죽일 듯 노려봤다. 종혁이 싫지만, 이런 일을 벌인 교육생들은 더 싫었다. 팔은 안으로 굽기 마련이었다.

"종혁아, 그래도 네 편이 있다?"

"시끄러워."

너무도 커진 일에 정다현은 하얗게 질렸다.

'이, 이거 좆된 거 아냐?'

하지만 이미 내친걸음이다.

여기서 물러서도 퇴소는 확정이다. 문제는 졌을 때다.
다신 순경 시험을 치르지 못할 수도 있었다.
'아냐! 이기면 되는 거야. 이기면! 씨발, 이놈의 욱하는 성질!'
"다현아, 걱정 마. 이기면 되는 거다."
"종대야."
"씨발, 60명이 달려들어 11명도 못 이기면 쪽팔려서라도 경찰 그만둬야지."
그랬다. 상황이 이렇게 되자 종혁을 고깝게 여긴 40명이 더 나서게 됐다. 그에 힘을 업은 다현은 그제야 가슴을 펴고 앞으로 나섰다.
"와아아아아!"
이 운명의 한판에 교육생들이 환호성을 터트렸다.
"쫄리면 더 데려와도 돼, 467번."
정다현은 얼굴을 와락 구겼다.
"걱정 마십쇼. 우리로도 충분하니까!"
"그래, 내가 좆같다 생각하는 놈들은 언제든 나서라! 난 상관없으니까!"
'미, 미친!'
수백 명을 적으로 뒀음에도 기가 죽지 않은 모습.
질려 하는 교육생들을 일견한 종혁은 정다현과 임세라 둘을 봤다.
"눈 직접 타격을 제외한 모든 공격 허용. 무기 가능. 한쪽이 항복하거나 무력화되면 경기 끝. 오케이?"

"뭣?"

"히히. 오케이! ……응? 왜? 쫄려? 그 덩치로?"

다현은 당황하며 임세라와 종혁을 번갈아 봤다.

"그, 그래도 어떻게 여자랑……."

"야, 덩어리. 넌 싸움을 말로 하니? 지금 누나 몸이 뜨겁게 달아오르고 있거든? 그러니까 얼른 시작하자잉?"

'미친년!'

이를 악문 다현은 한 발 앞으로 나섰다.

그 순간 종혁이 정다현의 유도복 상의를 열어젖혔다.

"윽?!"

"유도복 벗어. 이딴 하찮은 쌈박질 따위에 더럽혀질 게 아니니까."

결국 팬티 바람이 된 정다현은 종혁의 무심한 눈에 입술을 깨물었다.

'씨발! 뭐가 그렇게 당당한데!'

"나만 이렇게 벗는 건…… 미친!"

다현은 맞은편에서 옷을 벗는 임세라를 보고 경악했다.

"어머, 뭐야뭐야. 왜? 상시 발정 난 애새끼도 아니고, 꼴리기라도 한 거야?"

근육이 역동적으로 꿈틀거리는 육체.

정다현은 속옷만 입은 임세라를 보고 입을 다물었다.

촤라라!

수갑 두 개를 손가락에 끼어 돌리는 그녀는 사납게 웃

었고, 종혁은 그 모습에 피식 웃었다.

'미친년 임세라답네.'

경찰대에서 운동만 하던 남자들도 제치고 상위권의 성적을 유지한 그녀.

타고난 운동 신경 덕분도 있겠지만, 그것은 피나는 노력이 뒤따르지 않고서야 불가능한 일이었다.

"그럼 신호는 둘이 알아서 타협해라. 난 일단 시작."

"종혁아! 나 이따가 아구찜 사 줘!"

"세 명 이후 한 놈씩 더 잡을 때마다 원하는 메뉴 추가."

"아자봉! 사릉훼! 알러븅!"

종혁은 임세라의 토 나오는 애교를 무시하며 물러섰고, 정다현은 전혀 겁을 먹지 않는 그녀를 이해할 수 없었다.

"대체 왜 이렇게 무모한 짓을 하는 거지?"

"응?"

임세라는 큰 눈을 말똥말똥 껌뻑이다가 피식 웃었다.

"미안하지만, 아니 미안하지 않나? 아무튼 종혁이가 저렇게 화를 낸다면 너희가 잘못한 게 맞거든. 불의한 짓을 한 게 맞아."

그런 불의한 짓을 외면하지 말라고 배웠다.

"겨, 겨우 그런 걸로 이렇게 무모한……."

정다현은 입을 다물었다.

당장이라도 심장을 얼려 버릴 듯한 차가운 분노.

"겨우가 아니란다, 아가야."

종혁이 자신들에게, 48기 간부훈련생들에게 얼마나 크고 많은 기회를 줬는지 이들은 알까.

"나는, 그리고 우리 경찰대 48기는 그걸로 충분하단다."

종혁이 불구덩이에 함께 가자고 해도 웃으며 따라갈 수 있다.

자신들에게 최종혁이란 그런 의미였다.

"솔직히 우리가 지금보다 딱 두 배만 많았어도 이렇게 일대일도 안 했거든? 그러니 이제 그만 시작하자. 지겹다!"

촤락!

두 개의 수갑을 양손에 너클처럼 쥔 임세라는 정다현을 향해 달려들었고, 턱을 노리는 주먹에 정다현은 식겁하며 몸을 피했다.

'빌어먹을!'

"으음. 괜찮겠나, 최 교관?"

종혁이 믿어 달라기에 승인을 하긴 했지만, 학교장으로선 불안할 수밖에 없다.

여차하다가 종혁이 지기라도 하면 그동안 나눴던 이야기가 모두 물거품이 될 수 있었다.

하물며 대타로 나선 이가 여자이지 않은가.

"체급이 너무 차이가 나잖아. 정말 괜찮겠어?"

"괜찮습니다."

'세라가 저딴 놈한테 진다고? 신체 밸런스가 무너지다 못해 살이 저렇게 찐 놈에게?'

그렇게 허투루 가르치지 않았다.

임세라뿐만이 아니다. 경찰대 48기 간부훈련생 전원 종혁이 1학년 때부터 하나하나 세심하게 가르쳐 인간병기로 만들었다.

현장에 투입되면 곧바로 한 사람 몫을 해낼 수 있도록 말이다.

"그리고 쟤 무에타이 신인왕 출신이거든요."

그것도 남자들 대회에 변장을 하고 출전해 고작 16살에 신인왕 타이틀을 거머쥐었다.

그러다 가세가 기울면서 공부에 매진하였고, 결국 공부를 제대로 시작한 지 고작 2년 만에 경찰대에 오게 됐다.

학비부터 교육에 필요한 모든 걸 지원해 준다고 해서 경찰대를 택했다는 그녀. 천재성도 천재성이지만, 보통 악바리가 아니었다.

"보십시오."

"고자킥!"

퍼억!

"흡?!"

"어우!"

사타구니에 틀어박힌 임세라의 무릎에 학교장과 모든 남자들이 눈을 크게 떴고, 종혁은 킬킬 웃었다.

"무제한 룰에서 쟤를 이길 사람은 별로 없습니다. 그게 설혹 남자라도 말이죠."

'이종격투기 선수를 데려오지 않는 이상 불가능하지.'

"다으음-!"

팔짱을 낀 종혁은 눈빛을 가라앉혔다.

'저 60명 안에 놈들이 있을…….'

흠칫!

종혁은 어떤 장면을 보고 입술을 비틀었다.

* * *

"아우우. 개운하다."

본인과 상대의 피로 피투성이가 된 채 거친 숨을 몰아쉬던 임세라가 기지개를 켠다.

그에 교육생들은 하얗게 질리면서도 이를 간다.

여섯 명. 무려 여섯 명이 저 흉악한 년에게 당했다. 여자에게 말이다. 그들은 쪽팔리면서도 분노가 솟구쳤다.

눈을 데구루루 굴린 임세라는 히죽 웃으며 몸을 돌렸다.

"헤이, 내 불알 동기! 바톤 터치!"

"……미친년."

"히히. 아구찜 플러스 메뉴 세 개다, 세 개."

짜악!

고개를 저으며 나선 사내는 시위 진압용 목봉을 돌리며 씩씩거리는 교육생들을 응시했다.

"뭐해? 아무나 튀어나와."

"으악! 악!"
"크악!"
추풍낙엽이 따로 없다.
무도 특기로 뽑힌 이들마저 종혁의 동기들을 당해 내지 못한다.
4년 동안 종혁에게 매일 하늘이 노랗도록 구르며 배우고 의전경에서의 2년 동안 실전으로 닦아 낸 그들.
이제 순환 보직 근무에 들어서면 능히 한 사람 몫을 해낼 것 같았다.
'하. 정말 수고했다, 최종혁.'
가슴이 뿌듯한 광경이었다.
"어우, 개운해. 뭐야, 아직도 해?"
샤워와 응급 치료를 마치고 돌아온 임세라는 어리둥절했다.
"대가리를 깰 순 없으니까."
"아항. 종혁아, 나 빤쮸 찢어졌어."
"메뉴 하나 차감 후 속옷. 청담동에서."
"딜!"
환하게 웃으며 폴짝 뛴 그녀는 종혁의 등에 업혀 싸움을 관전했다. 그리고 귓속말을 했다.
"아까 섬뜩한 놈이 하나 있더라. 눈을 찌르려고 했어, 그 새끼."

"네 두 번째 상대인 224번?"

"역시 너도 봤구나?"

종혁은 고개를 끄덕였다.

임세라의 난타에 순간 옆구리에서 손가락을 뻗으려다가 멈칫한 놈. 분명 멈추기 직전의 그 각도는 임세라의 눈을 향해 있었다.

'평범하게 중고등학교를 졸업한 놈이 그런 살인 기술을 쓴다?'

말도 안 된다.

'한 놈 체크.'

역시 이런 이벤트를 벌이길 잘한 것 같았다.

"난 걔 마음에 들어. 내 마누라로 찜할래."

"그런 들개는 키우는 거 아니다."

"아, 그래?"

종혁이 아니라면 아니기에 입술을 삐죽 내민 그녀는 종혁의 등을 더 기어 올라가 결국 목마를 탔다.

"아, 아, 야! 머리, 씨발! 머리!"

"우왕! 댑따 잘 보여!"

'또라이년.'

고개를 저은 종혁은 싸움판을 응시했다.

이제 쌈박질도 중후반을 넘어가고 있었다.

이쪽의 스코어는 51승 0패, 8교체.

"이, 이건 말도 안 돼! 어, 어떻게 이럴 수 있는 건데! 대체 너희들하고 우리가 무슨 차이가 있는 건데-! 똑같이 공부했잖아!"

"뭐래, 미친놈이."

"풉!"

"야! 어떻게 우리가…… 엑?!"

팔을 뒤로 돌려 임세라의 허리춤을 잡아 던진 종혁은 코피를 흘리며 씩씩거리는 교육생에게 다가갔다.

어이없어 하는 동기의 어깨를 두드려 물러나게 한 종혁은 교육생을 삐딱하게 쳐다봤다.

"똑같이 공부했다고? 무슨 차이인지 모르겠다고?"

"그, 그래!"

"너희가? 우리랑? 그러니까 고등학교 때 하루 두세 시간밖에 못 자고 공부하면서 체력까지 기른 우리랑 고등학교 때 놀 거 다 놀고 공부도 설렁설렁하던 너희랑 똑같다고? 대학에 들어가서도 세네 시간밖에 못 자면서 공부하고 단련하며 매일 코피를 쏟은 우리랑! 대학생이라고 술 마시고 여행이나 다니던 너희랑! 어떻게 같지?"

시간을 써 온 방법과 삶에 임하는 각오가 다르다.

비단 자신들뿐만이 아니다.

남편, 자식들 아침밥을 챙겨 주기 위해 눈을 비비며 칼을 드는 어머니들.

잠든 아이의 볼에 입을 맞추고 직장으로 향하여 상사에게 허리를 굽히는 아버지들.

잠에 칭얼거리면서도 대학에 가기 위해 오늘도 교복을 입고 나가 저녁 늦게 들어오는 자식들.

전공을 살린 직장에 취직하기 위해 정보를 찾고 나누는 대학생들.

새벽부터 일어나 거리를 청소하는 환경미화원.

단돈 몇 천 원을 벌기 위해 리어카를 끄는 노인들.

병마를 이기기 위해 사투를 벌이는 환자들.

내 집 마련을 위해 머리 터지게 궁리하는 2030젊은이들.

그 외 세상 모든 사람이 가족을 위해, 혹은 나를 위해 저마다의 각오와 목표를 어깨에 얹고 치열하게 살아간다.

지금 이놈의 말은 그런 사람들의 노력을 싸잡아 욕한 것이었다.

"그런데 너흰 뭐지? 몇 마디 들었으면 왜 더 노력할 생각은 안 하고 이렇게 우르르 몰려와 징징거리기나 하는 너희는 진짜 뭐지? 야, 말해 봐. 내가 정말 너희에게 부당한 짓을 했냐? 그랬다면 지금이라도 무릎 꿇고 사과할게. 내가 책임지고 내 팀으로 픽업한다."

화들짝 놀랐던 교육생들은 이내 차갑고도 뜨겁게 타오르는 종혁의 눈을 피했다.

그런데 그렇게 외친 이놈은 느끼는 게 없는지 부들부들 떤다.

"어리광은 작작 부려, 찌질한 새끼야. 네 좆같이 좁은 생각으로 지금까지 열심히 살아온 수많은 사람의 노력을 욕보이지 말고!"

최소한 경찰이 되기로 했으면 이래선 안 된다.

수백수천의 시민의 안전이 두 어깨에 달려 있기에 묵묵히 감내하고 어떻게든 더 나은 방향을 찾아야 한다.

이들이 이제 막 입교한 사람들이라면 이런 말도 안 한다.

하지만 11주나 배우지 않았던가.

경찰은 지키는 존재라고 말이다.

헛웃음을 터트린 종혁은 머리를 쓸어 올렸다.

"이런 찌질한 새끼들이 뭐 예쁘다고 이렇게 어울려 주고 있었는지……. 그리고 질 것 같으니까 이러는 거 솔직히 꼴불견 아니냐? 네가 생각해도 그렇지?"

"씨바알!"

쩌억!

싸대기 한 방으로 기절시킨 종혁은 교육생들을 쭉 둘러봤다.

"여기 모인 교육생 전원 20점 벌점."

술렁!

"나 뒤지는 꼴 보러 왔으면 이 정도 각오는 했어야지. 안 그래?"

종혁은 유도복을 벗으며 팬티 차림으로 교육생 전체를 향해 손가락을 까딱였다.

"나 이긴 놈만 벌점 없다. 들어와. 뭐가 똥인지 된장인지도 모르는 애새끼들아."

……꿀꺽!

기괴할 정도로 근육으로 꽉 찬 종혁의 위협적인 몸에 다들 주춤 물러난다.

'야, 네가 나가 봐!'

'미친! 네가 나가 봐!'

종혁은 이럴 줄 알았다는 듯 혀를 찼다.

"야, 443번 이충호. 너부터 나와. 친구들 옆구리 찔러 놓고 살살 눈치나 살피는 버러지 새끼야."

"흡!"

이충호의 눈이 부릅떠졌다.

5장. 시위

시위

'어, 어떻게?'

어떻게 알아차렸는지 몰라도 계획이 어그러졌다.

그와 동시에 머리도 엉클어졌다.

'일단 아니라고 변명을 해야 하나?'

여기서 오리발을 내밀어 일단 중앙경찰학교에 붙어 있어야 하는 건지, 아니면 훗날 경찰에 잠입했을 때 도움을 줄 정다현과 도병훈이라는 인맥을 선택할지.

이충호의 머리가 복잡해졌다.

"뭐하냐, 새끼야. 안 나오냐?"

이충호는 차가운 종혁의 시선과 교육생들의 시선에 입술을 깨물었다.

'칫!'

그는 이를 악물며 발을 뗐다.

'어차피 다 들켰어. 여기서 물러나면 절대 최종혁과 친해지지 못해!'

머릿속을 정리한 이충호는 눈에 분노를 담았다.

"난 당신 같은 사람이 싫습니다."

대체 누구를 향하는지 모를 분노에 종혁은 울컥 솟는 살의를 눌러야만 했다.

"……그래. 술은 마셨는데 음주운전은 안 했다는 그런 발언은 안 해서 좋네."

"풉!"

작년 한 보이그룹 멤버의 어처구니없던 발언. 체육관의 공기가 잠시 환기된다.

"하지만……."

종혁은 눈빛이 점차 깊어진다.

"난 너처럼 되지도 않는 짱구를 굴리면서 사람을 이용하는 새끼들이 제일 싫어."

"우연이네요. 나도 그렇거든."

"……새끼. 연장 들려면 들어라. 목검도 좋고, 목봉도 좋고, 칼도 좋아. 할 수 있는 건 다 해 봐."

"됐습니다."

"좋아. 시작?"

"시작!"

이충호는 외침과 동시에 종혁을 향해 몸을 날리며 목을 향해 중지를 뾰족하게 세운 주먹을 날렸다.

'됐…….'

"병신 새끼."

'뭐?'

이충호가 마지막으로 목격한 건 어느새 코앞에 자리한 커다란 주먹이었다.

뿌가아악!

체육관이 정적에 휩싸인다.

주먹 한 방에 얼굴이 만신창이가 된 채 꿈틀거리는 이충호.

무슨 좋은 꿈을 꾸는 건지 입가엔 미소가 맺혀 있다.

'사, 사람이 튀, 튕겼어?'

분명 매트에 처박혔던 이충호가 그 충격에 튕겨져 올랐다.

"다음."

교육생들은 마른침을 삼키며 종혁을 봤다.

종혁은 공포에 굳어 버린 그들을 보며 나른하게 목을 꺾었다.

"지금부터 안 나오는 새끼는 정말 되소다."

"……씨발!"

쩌억!

"범죄자를 제압하는 요령 첫 번째. 절대 정면으로 달려들지 마라. 범죄자라고 너희보다 약한 게 아니다. 다음."

교육생들은 파랗게 질렸다.

*　*　*

“아으…….”

“으으윽!”

피투성이가 된 10여 명이 매트 위를 구르고 있다.

하지만 교육생들은 그들보다 종혁을 보고 있었다.

10명을 맨손으로 때려눕혔는데, 숨소리가 조금 흐트러진 것 말고는 땀 한 방울 흘리지 않는 종혁.

교육생들의 붉은 피가 기괴하기까지 한 근육질 몸을 타고 흐르는 그 모습은 마치 귀신을 보는 것처럼 섬뜩하기만 하다.

종혁은 피에 살짝 젖은 머리칼을 쓸어 올리며 먹잇감을 찾듯 교육생들을 둘러봤다.

“더 안 나오냐? 지금부터 나오는 놈들은 가점 10점 준다.”

‘가점?!’

반사적으로 눈을 번쩍 떴던 교육생들은 이내 고개를 푹 숙였다.

누구라고 피투성이가 된 채 바닥을 구르고 싶을까.

아니, 화풀이 상대를 고르는 저 괴물의 먹잇감이 되고 싶지 않았다.

“정말 없어? 오케이. 20점.”

‘안 나가, 씨발!’

'나가겠냐!'

"……쯧."

종혁은 필사적으로 시선을 피하는 그들의 모습에 흥이 팍 식는 걸 느끼며 몸을 돌렸다.

그러며 작게나마 품고 있던 희망을 버렸다.

총대를 메고 나선 동기가 만신창이가 되었는데도 침묵하는데 어찌 사람 대접을 해 줄 수 있을까. 주제도 모르고 나선 이놈들보다 저들이 더 구제불능이었다.

"병신 새끼들."

경멸이 가득 담긴 그 말에 교육생들은 그저 시선만 피할 뿐이었고, 종혁은 동기들과 함께 햇볕이 쏟아져 내리는 체육관 입구로 향했다.

훗날 '계란으로 바위 치기'라 불리게 된 사건은 그렇게 끝을 맺었다.

"아우우! 개운해!"

"씨부랠. 결국 나만 손맛 못 봤잖아!"

"푸헤헤헤! 그래서 어쩔 건데! 오쩔 건데? 종혁이에게 덤비게?"

"넌 뒤졌어!"

"꺄하하하!"

종혁과 동기들은 추격전을 보며 고개를 저었다.

"그런데 왜 그런 거였어?"

"글쎄…… 여자를 방으로 끌어들였다는데?"

"네가? 여자를? 드디어?"

경찰대에서도 고자로 유명했던 종혁이다.

"잉? 혹시 그거 나 때문 아니야? 그저께 내가 내려와서 술 마실 때 네 숙소 보여 달라고 졸랐었잖아."

본청 수사팀의 팀장인 종혁이 경찰대도 아닌 중앙경찰학교의 교관으로 갔다기에 식겁해 달려왔었다.

"아?"

드디어 이유를 알게 됐지만, 종혁은 딱히 의미가 없다고 생각했다. 어차피 일어날 일이 일어난 것이라고 생각할 뿐이었다.

매점 근처로 자리를 옮긴 그들은 캔커피를 손에 들고 종혁을 쳐다봤다.

"그래서 우릴 부른 이유가 뭐야?"

종혁은 대뜸 본론부터 물어 오는 동기들의 모습에 피식 웃었다.

"일단 오늘 예비 순경들을 본 소감이 어때?"

"음…… 병신?"

"머저리들."

"신체 밸런스도 구려, 눈빛도 동태눈깔이야, 대가리에 든 것도 없어 보이던데? 저 새끼들이 밑으로 오면 다시 한번 작살을 내 준다."

역시나 평가가 신랄했다.

"하지만 어쩔 수가 없잖아. 교육 기간이 짧은데."

"지금 이론 교육이 16주였던가? 솔직히 그 안에 기본기를 다 배운다는 건 불가능이지."
"맞아. 그렇다고 현장에서 배울 수 있는 시간이 있는 것도 아니고. 내가 볼 때 중경의 존재 의의는 하나야. 악과 깡을 심어 주는 거."
"훈련소처럼?"
"어. 그래도 눈빛은 좋은 애들이 좀 있던데? 그런 의미에서 오늘 우리한테 덤빈 놈들도 합격. 또 그런 놈들이 키우는 맛이 있지."
"난 반대. 고작 며칠 욕먹는 것도 못 참아서 폭발하는 놈들은 고쳐 쓴다고 해도 결국 또 폭발해 버리고 말 테니까."
"허이구, 48기 최고의 반항아가 누구셨더라?"
분석도 정확했다.
종혁은 커피로 살짝 목을 축이며 입을 열었다.
"만약 그 이론 교육 기간이 늘어난다면?"
순간 눈에 기광이 스친 동기들은 생각에 잠겼다.
"흠. 한 24주 정도면 어느 정도 욱여넣을 수 있을 듯한데……."
"수면 시간도 조금 줄이고, 불필요하게 버려지는 시간을 최대한 없애 봐야지."
종혁은 주제가 주어지자 격렬하게 토의하는 동기들을 가만히 지켜봤다.
"그래서."
"음?"

"이번엔 중경을 뜯어고치게?"

움찔!

종혁은 갑자기 훅치고 들어온 질문에 눈을 동그랗게 떴다.

이미 생각을 눈치챘다는 듯 초롱초롱 빛나는 동기들의 눈빛에 종혁은 어이없다는 듯 웃었다.

"야, 상식적으로 그게 가능할 거라고 보냐?"

"어. 너라면 가능할 것 같아."

종혁은 한 치의 망설임도 없는 대답에 떨떠름한 표정을 지었다.

"왜? 왜 그렇게 생각해?"

"그렇게 생각 안하는 게 더 이상한 거 아니야? 일본에 가서 그 동네 경찰들 죄다 때려눕혔는데도 최첨단 과학수사 기술도 들여오고, 임성원 교수님이랑 쿵짝쿵짝하더니 수사 기법을 개발해 각국과 교류를 하는 것도 모자라 자매 결연을 맺고……."

"우리는 의전경에서 구르고 있을 때 넌 경찰을 개혁시켰잖아?"

"……끙."

종혁은 머리를 긁었다.

아무래도 더 숨길 수 없을 것 같았다.

'내가 너무 잘 키웠나?'

"맞아, 너희들 생각이."

"그렇지!"

"아싸, 맞췄다!"
"조용히 해 봐! 종혁이 이야기하잖아."
종혁은 다시 몰리는 시선에 갑자기 어떤 생각이 들어 오묘한 눈빛을 지었다가 이내 고개를 끄덕였다.
"일단 다른 동기들에게도 다 물어볼 테지만, 너희들부터 알려 줄게. 너희들 생각처럼 난 이 중경을 근본부터 바꿀 생각이야. 그 첫 번째로 교육 기간부터 늘릴 예정이고, 교육 커리큘럼도 다 뜯어고칠 거야."
"오오."
"씨발. 진짜 넌……."
"하지만 이걸 실현시키려면 선결시켜야 할 조건이 있어."
동기들이 종혁의 입을 뚫어지게 쳐다본다.
"저 일반인들을 한 명의 경찰로 만들어 줄 스승."
"어? 자, 잠깐! 그 말은?!"
"야, 미친 거 아냐?!"
종혁이 하고자 하는 말이 무엇인지 깨달은 그들은 입을 떡 벌렸고, 종혁은 싱긋 웃었다.
"어. 너희들이 맡아 줘라, 그 스승."
쿠웅.
막대한 충격이 그들의 뒤통수를 후려쳤다.
입을 뻐끔거리던 그들은 벌떡 일어났다.
"야, 안 돼. 우린 현장도 제대로 못 겪었다고!"
"맞아! 현장을 모르는데 어떻게 현장 일을 가르쳐! 아무리 주저리주저리 떠들어 봐야 걔들이 귀담게 듣기나 하겠어?!"

종혁은 그들의 반발을 예측했다는 듯 고개를 끄덕였다.

"지식을 가르치라는 게 아니야. 솔직히 우리가 아무리 알아 봐야 교수들보다 더 알겠어?"

"……그럼?"

"인성을 가르치라는 거야. 경찰이라면 당연히 갖춰야 하는 인성."

그리고 엇비슷한 또래이기에 가르칠 수 있는 부분도 있다.

"그리고 그것도 지금 바로 가르치자는 것도 아니고."

무려 중앙경찰학교라는 국내 최대의 경찰 양성 교육기관을 근본부터 뜯어고치는 일이다.

고작 1, 2년 가지고는 어림도 없었다. 커리큘럼을 뜯어고치는 데만 그 정도 시간이 걸릴 것이다.

"흠. 그 말은 우리가 순환 보직을 마친 후에 여기에 오라는 거네?"

"빙고. 난 그래 줬으면 좋겠어. 너희들을 위해서라도."

"우리들을 위해?"

"야, 씨발. 귀 닫아. 종혁이 또 약 판다."

종혁은 키득키득 웃으며 본인을 가리켰다.

"어차피 너희도 나중엔 나처럼 팀장이 될 거잖아?"

다들 이르면 삼십대 초반부터 하나의 팀을 이끌게 될 거다. 늦어도 삼십대 중반에는.

그게 경찰대학교 졸업생, 경찰을 경위로 시작하는 경찰

대 출신 간부라면 기본으로 주어지는 길이다.

"인재 수급해야지?"

"……거봐, 씨발! 약 파는 거 맞잖아!"

그런데 이번에도 먹고 싶을 수밖에 없는 약이다.

"그, 그러니까 훗날의 내 새끼를 내가 키워라? 지금 그 거야?"

"될성부른 나무는 떡잎부터 안다잖아. 어때? 구미가 당기지 않아?"

움찔!

종혁의 동기들은 하나같이 얼굴을 쓸어내리거나 관자놀이를 눌렀다.

듣기 싫다. 귀를 막고 싶다. 경찰대 시절 종혁이 저런 표정을 지을 때마다 얼마나 많은 수면시간을 뺏겼던가.

하지만…….

"씨발. 씨바알!"

"졸라 구미 당기네-!"

종혁은 눈이 저 하늘의 태양처럼 불타오르는 시작한 동기들을 보며 씩 웃었다.

시간이 흘러 동기들의 흥분이 가시자 종혁은 동기 한 명, 한 명과 눈을 마주치며 입을 열었다.

"난 말이야……."

그 입에서 다시금 감미로운 목소리가 흘러나온다.

"우리 48기가 팀장을 넘어 서장, 청장까지 다 해 먹었으면 좋겠어."

훗날 대한민국 모든 경찰청의 정점에 경찰대 48기만 있는 것이다.

종혁이 경찰대를 택한 이유엔 이런 계획도 있었다. 그래서 이들을 1학년 때부터 세심하게 가르치며 자신의 색으로 물들였던 것이다.

"이건 그 첫 번째 포석이 되겠지."

쿠웅!

"미친……."

너무도 거대한 꿈. 계획.

하지만 종혁이 말하니 정말 그럴 수 있을 것 같아서 온몸에 전율이 내달린다.

가라앉았던 흥분이 다시 들끓기 시작했다.

종혁은 의미심장하게 웃으며 USB 하나를 내밀었다.

"이건 제대 축하 선물. 아마 형사 신고식에 요긴하게 쓰일 거야."

최근에 일어나고 있는 지능범죄 및 경제 사건들, 현재로선 세상 누구도 감을 못 잡은 사건들이다.

이제 곧 순환 보직 근무에 돌입해 경제팀으로 갈 동기들. 이제야 드디어 회귀 전의 기억을, 머릿속에서 잠자고만 있던 사건들을 아낌없이 내보일 수 있을 것 같았다.

대한민국의 모든 신고와 민원이 모이는 간편신고관리과라는 명분도 있지 않은가.

이제 익명을 가장해 다른 형사들에게 정보를 건네는 것

도 그만할 수 있었다. 드디어 자신을 위해, 보다 나은 미래를 위해 쓸 수 있었다.

"아무튼 이따가 보자. 난 아무래도 이분을 만나야 할 것 같거든."

지이잉! 지이잉!

중앙경찰학교 학교장에게 전화.

종혁은 손을 흔들며 몸을 돌렸고, 동기들은 그런 종혁을 망연히 바라보다 이내 풀썩 의자 위로 무너졌다.

그들은 생각이 많은 표정으로 캔커피를 만지작거렸다.

"언제부터였을까? 재가 저런 그림을 그린 게."

"……난 경찰대에 입학하기 전부터라는데 한 표."

"하긴 입학 전부터 한상원을 잡았던 놈이니까."

"미친 새끼……."

하지만 솔직히 부럽다.

질투가 나지 않는다면 거짓말이다.

똑같은 시간을 걷고 있음에도 이렇게 아득히 다른 곳을 바라보고 있어서. 언제나 수십 발자국 앞에서 여기라고 등불을 흔들고 있어서.

재와 내가 대체 뭐가 그렇게 다른 건지 이해가 안 되어 짜증이 솟을 때도 있다.

"그거 종혁이도 알고 있을걸?"

"뭐?"

"아까 봤어. 물어보려다가 말던데? 우리가 왜 자기를 이렇게 맹목적으로 따르는 건가, 나한테 질투심도 안 느끼나 하고."

"엥? 그런 거야 그냥 물어보면…… 아."

"크큭. 맞아. 걔가 은근히 소심한 구석이 있잖아."

하지만 그렇기에 자신들의 리더다.

인간성까지 갖췄기에 온전히 믿고 따를 수 있는 리더.

"청장이라……."

그들은 메마른 입술을 혀로 핥으며 흉흉한 미소를 지었다.

벅찬 감이 있지만 인생을 걸어 볼 목표로써 꽤 훌륭하지 않은가.

몸이 달은 그들은 더 이상 참지 못하고 일어섰다.

이 흥분, 술로 달래지 않으면 안 됐다.

"씨파. 나중에 동기들 다 모였을 때 볼 만하겠네."

"크크큭."

그들은 어깨를 들썩이며 중앙 경찰학교를 빠져나가기 시작했다.

"그런데 형사 신고식이 뭐임?"

"……글쎄? 윗기수 선배들에게 물어볼까?"

"아, 나 들은 적 있어! 수사팀 선배들이 빨래를 엄청 안겨 준다는데? 막 몇 년씩 묵은!"

"……그럼 이건 그 묵은 때를 벗겨 내는 방법인가?"

그들은 종혁이 준 USB를 보며 눈을 껌뻑였다.

'굳이?'

*　*　*

“마셔요, 최 교관.”

달그락 학교장이 내민 커피를 본 종혁은 볼을 긁적였다. 학교장이 부른 이유를 알아차렸기 때문이다.

“감사합니다.”

그렇게 종혁이 커피를 한 모금 마시자 학교장이 슬그머니 입을 열었다.

“고마워요, 최 교관. 덕분에 애들이 빠릿빠릿해졌다고 합니다.”

군대 훈련소와 크게 다를 바가 없는 중앙경찰학교.

가르치는 지식이 아니라 통제 방식을 말하는 것이다.

윽박지르고, 얼차려를 주며 교육생들을 통제했다.

벌점과 퇴소라는 전가의 보도가 있기에 그동안 교육생들은 교관들의 그런 통제에도 군말 없이 따라 주었다.

하지만 따라 준다는 게 불만이 없다는 것은 아니다.

중앙경찰학교는 군대처럼 강제성이 있는 게 아니다.

퇴소는 교육생들도 휘두를 수 있는 칼이었다.

매 기수마다 교관에게 대드는 사건이 일어나고, 심지어 폭행 사건이 일어난 적도 있다. 안에서 쉬쉬해서 밖으로 알려지지 않았을 뿐이다.

그런데 오늘 일로 교육생들의 기가 팍 눌렸다. 교관들이 언제든 자신들을 무력으로 짓누를 수 있다는 길 알아차렸기 때문이다.

폭력이란 원초적인 공포가 교육생들의 심리에 족쇄를 채워 버렸다.

종혁이 정말 큰일을 해 준 것이었다.

'서론이 너무 장황한데.'

이럴수록 학교장이 소환한 이유가 더 명확해진다.

그리고 그런 종혁의 생각은 여지없이 맞아떨어졌다.

"그러니 여기서 멈춥시다, 최 교관."

달그락.

찻잔을 내려놓은 종혁은 학교장을 응시했다.

"캐삭빵, 아니 퇴소를 철회하라는 겁니까?"

"이미 너무 많은 숫자가 퇴소했어요. 그들마저 퇴소시킨다면 이번 기수에서 뽑아야 할 정원을 맞출 수 없을 겁니다."

"그건 이야기가 된 거 아니었습니까?"

"과한 건 안 좋죠."

'하, 이 양반 봐라?'

출셋길을 알려 줬더니 그새 말을 바꾸고 있다.

'그래. 중경의 교육 기간을, 아니 당신의 목숨줄을 늘릴 방법을 알았다는 거지? 내가 다 알려 줘서?'

하지만 그건 어디까지나 경찰 예산이 늘어났을 때에나 가능한 일이다. 물론 예산은 늘릴 테지만, 종혁은 이 순간 마음의 결정을 내렸다.

'너 아웃.'

교육자가 되면 안 될 부류의 인간이다. 그게 순경을 양성하는 기관이라면 더더욱 말이다.

종혁은 어디까지 가나 보자며 표정을 딱딱하게 굳혔다.

"하지만 안 좋은 선례를 남길 순 없습니다. 교관이 자신의 말을 지키지 못한다면 그 어떤 교육생이 믿고 따르겠습니까."

"그 신념이 택문이의 체면보다 중요한 가요?"

'개새끼!'

학교장 자리에서 끌어내리는 게 아니라 아예 퇴직을 시켜야 할 것 같다.

'하지만 고맙네.'

"전……."

표정이 완전히 굳은 종혁의 입이 열렸다.

* * *

"……."

얼굴에 붕대를 감싼 이충호가 멍하니 병실 천장을 응시하고 있다.

'끝났군.'

회사가 내린 지령을 완수하지 못했다. 아니, 성공의 근처에도 가지 못하고 대차게 실패했다.

이제 남은 건 회사의 처분을 기다리는 것뿐이었다.

죽음.

실패는 곧 죽음.

그렇게 배웠지만 죽기 싫다. 이제야 사람답게 사는데 왜 죽어야 하는가.

그것도 이렇게 허망한 이유로!

'어떡하지? 도망칠까? 그럼 어머니는? 어머니?!'

이충호는 파랗게 질렸다.

과연 자신이 도망치면 회사가 어머니를 가만 놔둘까?

아니다. 어머니가 대신 은퇴를 당하게 될 것이다.

그의 머릿속이 엉키기 시작했다.

"충호야, 괜찮아? 많이 아파? 얼굴색이 파래! 여기요!"

"닥쳐!"

"충호야?"

"냄새나는 아가리 처닫으라고! 계집년한테 진 새끼가, 씨발!"

"너?!"

정다현의 부릅떠진 눈에 많은 감정이 스쳐 지나간다.

배신감, 분노, 자책, 체념.

"씨발! 너무하잖아, 충호 형! 우리가 누구 때문에 이렇게 됐는데!"

"하, 그게 나 때문이라고? 야, 내가 최 교관에게 덤비자고 했냐? 내 입에서 그러자는 말이 나온 적 있냐고, 씨발놈아!"

"와, 이 개새끼가 오리발 내미는 것 좀 보소? 씨발, 그럼 우리가……."

"됐어, 도병훈. 그만해."

"다현이형!"

"그만하자, 병훈아. 제발……."

"……에이, 씨발!"

도병훈은 이를 갈며 돌아누웠고, 정다현은 이충호를 보며 서글피 웃었다.

"그래, 그동안 말만 앞선 놈이 알짱거려서 미안했다."

움찔!

"아니……."

순간 자신도 모르게 튀어나온 말에 입을 다문 이충호는 미간을 좁혔다.

'왜지? 난 왜 변명을 하려고 한 거지?'

"곧 병실을 옮겨 달라고 할 테니까 내가 꼴 보기 싫더라도 조금만 참아."

정다현은 자신의 침상으로 걸어가 이불을 덮어썼고, 그런 그의 모습에 마음이 불편해지는 자신을 발견한 이충호는 당황하고 말았다.

그는 그게 우정이라는 걸 눈치채지 못하고 있었다.

"씨발."

결국 병실이 불편해진 이충호는 담배를 쥐며 일어섰다.

병실에 있던 교육생들의 분노 어린 눈빛이 이충호를 따라붙었다.

'씨발. 노려보면 어쩔건데? 그냥 확 다 죽어 버릴까?'

어차피 조직에게 제거당할 거 그것도 나쁘지 않을 듯싶었다.

이충호는 흉흉한 생각을 머금으며 병실 문을 잡았다.

그런데 그가 문을 열려는 것보다 먼저 문이 열렸다.

드르륵!

"최종혁?"

"최 교관님이다, 개새끼야. 내가 네 친구냐?"

"아, 아니……."

"됐고, 자리에 가서 앉아."

이충호의 어깨를 밀친 종혁은 병실 분위기를 살피다 눈을 빛냈다.

'오호? 이것 봐라?'

자신의 등장에 올 것이 왔다 체념을 하면서도 이충호를 죽일 듯 노려본다. 특히 패거리였던 도병훈은 찢어발길 듯 살벌하다.

무슨 일이 있었는지 모르지만 이충호는 현재 고립이 된 거다.

'흠. 이러면 도병훈과 정다현은 용의 선상에서 벗어나는 건데.'

일부러 이런 상황을 꾸몄다는 가능성은 뒤로 밀쳐 둬야 했다. 어차피 죄다 퇴소가 확정됐으니 메리트가 없기 때문이다.

'그래도 혹시 모르니까.'

생각을 정리한 종혁은 병실에 누워 있는 교육생들을 향

해 입을 열었다.
"너희들에 대한 처분이 정해졌다."
"아."
"흐윽!"
올 게 왔다.
그들은 이불을 꽉 쥐며 울음을 억눌렀다.
"이 병실에선 이충호, 정다현, 도병훈."
'어? 이 병실?'
뭔가를 눈치챈 교육생들은 일말의 희망을 품기 시작했다.
반면 정다현과 도병훈은 더욱 울상을 지으며 부모님께 할 변명을 떠올리기 시작했다.
하지만…….
"이 셋을 제외한 나머지 전원 퇴소."
"……네?! 이런 미친!"
"마, 말도 안 돼! 쟤들이 왜 퇴소가 아닌데요!"
희비가 엇갈린 교육생들은 강렬하게 반발했다.
종혁은 그런 그들을 보며 고개를 모로 기울였다.
"왜 말이 안 되지?"
"당연히 쟤들이 이번 일의 주동……."
"하루라도 빨리 나가서 다음 시험을 준비하는 게 너희들에게 이득 아냐?"
"……예?"
"야, 내가 아무것도 모를 거라고 생각했냐?"

"……."

"이충호, 정다현, 도병훈. 너희 셋은 나머지 교육 기간을 모두 다 마치고 마지막 날 퇴소다. 어디 지금 퇴소하고 싶으면 퇴소해 봐. 내가 내 모든 걸 동원해서라도 너희 세 개새끼의 앞날을 막아 버릴 테니까. 너희가 어딜 입사하든 내가 손수 편지를 써 주지."

다시 희비가 엇갈린다.

종혁은 파랗게 질리는 세 명을 일견하며 나머지 교육생들을 향해 전화번호 하나를 내밀었다.

"서울에 있는 기숙학원 전화번호다. 너희의 형평성을 고려해 기회를 주는 거지."

정확히는 종혁이, 아니 나탈리아가 급하게 인수한 기숙학원이다.

아직 파악은 못했지만, 이들 중 놈들이 더 있을 수 있기에 한곳에 몰아넣어 감시하려는 것이다.

"다음엔 이번처럼 항명하지 마라. 그땐 정말 씹어 버릴 테니까."

"옙……!"

"우아아아아아!"

"이충호, 정다현, 도병훈은 짐 싸서 나와."

앞길을 막아 버린다는데 어찌 따르지 않을 수 있을까.

억울하고 분하지만 따를 수밖에 없었다.

그들은 유도복을 들며 종혁의 뒤를 따랐다.

종혁은 그렇게 병실들을 돌며 미심쩍지만 아직 확실히

검증되지 않은 이들을 선발해 버스에 싣고는, 죽을상이 되어 남아 있는 교육생들을 바라봤다.

"축하한다. 기회를 얻은 걸."

"……예?"

부르릉!

출발하는 차의 엔진 소리가 그들의 정신을 번뜩 깨웠다.

"아까는 그렇게 말했지만, 난 너희 같은 놈들을, 부당하다 생각되면 언제든지 들이받아 버리는 또라이들을 싫어하지 않아. 그리고……."

선발된 교육생들의 눈이, 아니 가슴이 파르르 떨린다.

그들의 입이 벌어지며 함성을 토해 내려 한다.

하지만…….

"이충호, 너 같은 얌체도 싫어하지 않지. 아니, 내가 가장 좋아하는 부류지. 뭔가를 꾸미고 상황을 통제하는 걸 좋아하는 부류."

이충호는 기쁨에 터져 나오려는 비명을 참으려 애써야 했다.

'나, 나 같은 부류를 좋아한다고? 이, 이렇게 되면?'

전혀 생각하지 못했던 전화위복이다.

다시 종혁과 친해질 기회.

죽음의 위험에서 벗어난 이충호는 주먹을 꽉 쥐며 종혁을 뜨겁게 응시했다. 그리고 다른 교육생들은 그런 이충호를 찢어발길 듯 노려봤다.

종혁은 그 모습을 보며 흐뭇하게 웃었다.

'좋군, 좋아.'

이충호는 자기가 나서기보다 남을 통제하길 좋아하는 부류다.

그런데 이렇게 고립이 되어 버렸으니 분명 도움을 줄, 혹은 다룰 수 있는 누군가를 찾으려 들 터.

'그건 이제 그 조직이 되겠지. 아니면 저 먹음직스런 먹잇감을 이용하려 다른 쪽에서 먼저 접근하든가.'

그건 아마도 224번이 될 확률이 높다.

그 조직의 놈으로 유력하게 추정되는 인물.

'문제는 놈들이 서로를 알고 있느냔데…….'

그거야 기회를 만들면 된다.

어느 쪽이든 종혁에겐 좋은 일이었다.

"그, 그럼 저희는 이제 어떻게 됩니까? 다시 교육을 받게 되는 겁니까?"

종혁은 누군가의 질문에 고개를 끄덕였다.

"더 이상 사고를 치지 않고 교육을 이수한다면 아무 문제없이 현장에 투입될 거다. 하지만 그렇게 되면 형평성에 어긋나겠지?"

"예?"

주먹을 불끈 쥐며 함성을 토해 내려던 그들은 멍하니 종혁을 응시했다.

그 순간 버스가 멈춰 섰다.

"내려."

얼떨떨해하며 버스에서 내린 그들은 바닥에 널브러져 있는 것들, 진압용 방패나 봉, 기동복에 시선을 뺏겼다. 그래서 누가 먼저 와 있다는 것도 모르고 있었다.

"……에, 에이. 아니겠지."

아닐 거다. 아니어야 했다.

사람을 파김치로 만들었던 기동 훈련.

이가 갈리고 토가 쏠리던 그 훈련.

진짜 아니어야 했다.

하지만 종혁은 그런 그들의 기대를 배신했다.

"앞으로 너흰 쉬는 시간마다 나와 어울리게 될 거다. 자율 시간 없음, 식사 시간과 정비 시간 20분. 아, 567번도 와 있군."

"567번 교육생 조정근!"

이충호는 그제야 조정근을 발견하곤 눈을 크게 떴다.

'저 새끼가 왜?'

맨날 자신에게 시비를 거는 놈이다.

그 시선을 눈치챈 건지 조정근은 얼굴을 와락 구겼다.

'씨발, 내가 왜!'

종혁은 억울해하는 그를 보며 비릿하게 웃었다.

"567번."

"567번 교육생 조정근!"

"난 너처럼 동기를 팔아먹는 놈이 제일 싫다. 불만 있나?"

그랬다. 종혁에게 동기들이 뭘 꾸미고 있다고 알린 게

조정근이었다.

'그래서 의심스럽지.'

이곳 중앙경찰학교에 놈들이 몇 명이나 있는지 모른다. 접근하는 모든 사람을 의심해야 됐다.

"……없습니다!"

"좋아."

고개를 끄덕인 종혁은 아직도 얼어붙어 있는 교육생들을 보며 의아해했다.

"뭐해? 입어. 1분. 늦으면 저기 골대 찍고 오는 거다."

"씨, 씨발!"

종혁은 후다닥 기동복을 입기 시작하는 그들을 향해 함박 미소를 지어 주었다.

"입으면서 들어라. 아까 병실에서 한 말은 진심이다."

자진 퇴소하면 앞길을 막아 버리겠다는 엄포.

종혁은 파랗게 질리는 그들을 향해 더 사악하게 웃어줬다.

"즉, 너흰 이제 지옥에 들어왔다는 거지. 그러니 지금부터 죽었다 복창하는 게 좋을 거다! 복창! 난 죽었다!"

"나, 난 죽었다!"

"나는 죽었다-!"

"오케이. 1분 끝. 전원 골대 찍고 온다. 선착순 4명. 뛰어."

"뛰, 뛰어!"

"씨바알!"

종혁은 바지를 추스르며 튀어 나가는 교육생들을 보며 흐뭇하게 웃었다.

"원래 사람이 구르다 보면 다 친해지는 법이지."

그럼 놈들도 서로를 아끼게 될 터.

종혁은 어떻게 하면 한시라도 더 빨리 서로를 뭉치게 할 수 있을까 고민을 하기 시작했다.

꽤 즐거운 고민이었다.

* * *

꽈아앙!

뭔가가 터지는 소리에 깜짝 놀라 중운동장을 바라본 중앙경찰학교의 교육생들은 바닥을 나뒹구는 이들을 보며 얼굴을 구겼다.

"꼴좋다. 이 개새끼들!"

"씨발, 저 새끼들 때문에 학교 분위기가 이 모양 이 꼴이 된 것만 생각하면…… 아오!"

저들이 종혁에게 덤벼 박살 난 이후 모든 수업과 규율이 빡빡해졌다.

예전에는 수업 중간에 화장실을 갈 수 있었는데 지금은 꿈도 못 꾼다. 자율 시간도 사라졌고, 하루를 마무리하는 맥주도 더 이상 마시지 못하게 됐다.

일어나면서 자는 그 순간까지 오직 공부, 훈련.

그럼에도 반발을 할 수가 없다. 매의 눈을 뜬 교관들이 언제 종혁처럼 폭력을 휘두를지 모르기 때문이다.

예전엔 그래도 농담도 하고 장난을 치던 좋은 교관들도 자신들을 바퀴벌레 쳐다보는 것처럼 상대도 안 한다.

정말 이가 갈리지 않을 수가 없었다.

"야. 가자, 가. 얼른 가야 조금이라도 쉬지."

"씨발 새끼들……. 카악, 퉤!"

그들은 강의실을 향해 걸음을 재촉했다.

꽈아앙!

"으악!"

"큽!"

시위 진압용 방패를 든 이충호 외 네 명이, 다섯 명이서 한 개의 조를 이룬 그들이 비명을 지르며 물러난다.

"허쭈? 또 밀려나? 미쳤냐? 똥꼬에 힘 안 줘?"

종혁은 황급히 다시 스크럼을 짜는 그들 중 가장 선두에 있는 이충호의 방패를 잡고 확 잡아당겼다.

"으악!"

비명을 지르며 딸려 나오는 이충호와 그의 어깨를 잡고 있던 둘.

종혁의 얼굴이 와락 구겨졌다.

"하, 이 씹새끼들이 또 못 버티네? 안 되겠다. 전원 하이바 벗어."

"헉?! 아, 아닙니다! 버틸 수 있습니다!"

"버티겠습니다-!"

죽일 듯 노려보는 다른 조 교육생들의 눈빛에 그들은

하얗게 질렸지만, 종혁에게 봐주는 거란 없었다.

“벗으라고, 개새끼들아.”

동기사랑, 나라사랑.

한 개의 조가 실수해도 다른 조까지 다 처벌받는다.

헬멧을 벗는 그들의 얼굴이 울상으로 일그러진다.

“하이바 위에 대가리 박아.”

“대, 대가리 박아!”

“복창이 마음에 안 든다! 대가리 박고 왼발 들어!”

“대가리 박고 왼발 들어-!”

‘옳지, 그렇지.’

종혁은 순식간에 낑낑거리기 시작하는 그들을 보며 만족스럽다는 듯 고개를 주억거렸다.

“우리 이렇게 딱 10분만 있자.”

“끄윽!”

“흑!”

종혁은 옆에 가져다 놓은 의자에 앉았다.

식사를 한 지 얼마 안 됐으니 10분 정도 낮잠을 청하는 것도 나쁘지 않을 것 같았다.

종혁은 팔짱을 끼며 눈을 감았다.

“드르렁!”

‘……시발. 죽인다! 죽여 버린다!’

죽이고 싶다. 이렇게 체벌에 가까운 훈련을 받기 시작한 지 고작 3일째지만, 이젠 순경이고 나발이고 다 포기하고 싶다.

그러나 자진 퇴소 시 앞날이 막힌다. 다신 순경 시험도 못 치르는 것이다.

그렇다고 죽여 버리기엔 자신이 없다.

그들은 결국 화풀이 상대를 찾기 시작했다.

'다 저 새끼 때문이야! 저 새끼만 아니었어도!'

"씨발. 이충호, 너 오늘 저녁에 두고 보자."

"진짜 죽여 버린다, 너."

'……하, 그냥 임무 포기하고 죽을까.'

낯빛이 검게 죽은 이충호는 죽음을 담담히 받아들일 준비를 하게 되었고, 입으로만 코골이 소리를 내는 종혁은 그런 그들을 차갑게 응시했다.

'아직 궁지에 몰리려면 멀었군. 뭐, 어차피 시간은 많으니까…….'

몰고 몰다 보면 결국 제 살길을 찾게 될 거다.

그때가 기회였다.

고개를 끄덕인 종혁은 진짜로 눈을 감았다.

그 순간이었다.

"최 교관! 최 교과안-!"

눈을 뜬 종혁은 이쪽을 향해 달려오는 다른 교관의 모습에 고개를 모로 기울였다.

"무슨 일이십니까?"

"지금 이럴 때가 아니야! 얼른 따라와! 일 터졌어!"

"일이요? 무슨……."

"빨리! 난 다른 교관들 부르러 가야 하니까 얼른 제1식당으로 가봐! 난 전했다!"

종혁은 다시 멀어지는 교관을 보며 볼을 긁었다.

"거 핸드폰은 놔뒀다가 국 끓여 먹으려고 그러시나. 흠, 그나저나 일이라……."

갸웃한 종혁은 교육생들을 보며 혀를 찼다.

아무래도 괴롭히는 건 여기까지 해야 할 듯싶었다.

"전원 기상."

"기상!"

상황이 뭔가 이상하다는 걸 알아차렸는지 얼굴에 미소가 감도는 그들.

종혁은 코웃음을 쳤다.

"지금부터 각 조끼리 상대를 정해 진압 훈련을 실시한다. 서로 협력을 해도 상관없으니까 꼴찌만 가려. 꼴찌는 오늘 하루 오리걸음일 테니까."

"헉!"

"그럼 시작. 끝나면 알아서 장구랑 내 의자 반납하고 수업 들어가라. 만약 수업 늦으면 저녁 점호 후 훈련 1시간이다."

종혁이 손을 흔들면서 멀어지자 그들은 이충호를 가만히 응시했다.

"씨발. 드디어 기회가 왔네."

"넌 뒤졌어."

철컹!

이충호는 반사적으로 정다현을 찾았다가 낙담했다.

씁쓸히 웃으면서도 목봉을 만지는 다현. 원래 친구가 적으로 돌아섰을 때 제일 무서운 법이다.

한쪽만 친구라고 생각했지만 말이다.

한편 식당으로 들어온 종혁은 눈을 껌뻑였다.

웅성웅성.

'어라?'

중앙경찰학교의 교관들뿐만 아니라 전의경 후반기 교육을 담당하는 교관들과 군대로 치면 군기 교육대인 기율교육대까지 모두 한자리에 모여 심각한 표정을 짓고 있다.

'뭔 일이래? 아, 설마?'

이맘때 일어난 어떤 일을 떠올린 종혁은 낯빛을 굳히며 빈자리에 앉았다.

그리고 잠시 뒤 학교장이 식당 안으로 모습을 드러냈다.

"대충 상황이 어떻게 돌아가는지는 다들 아실 겁니다."

의미심장한 그의 말에 교관들은 엉덩이를 들썩였다.

"그거 시간이 좀 남은 거 아니었습니까?"

"아니, 전국에 의경이 얼마나 많은데 우리까지 가야 합니까! 대체 얼마나 심각하기에!"

학교장은 한숨을 탁 내뱉으며 고개를 저었다.

"그건 현장에 가야 판단할 수 있을 테지만, VIP께서 결단을 내린 이상 뭘 어떻게 할 수 있겠습니까. 현 시간부로 우리 중경도 우봉리에 투입될 테니 다들 그렇게 알고 준비하세요.”

“아니, 씨발 진짜! 경찰이 정부의 봉이야, 뭐야!”

“에이!”

종혁도 이마를 잡았다.

‘씨발. 결국 터졌구나.’

평택 우봉리 사건. 미군 기지 이전을 두고 정부와의 보상금 문제로 촉발된 대규모 시위 사건이다.

사상자까지 발생한 끔찍한 사건.

종혁의 눈앞이 아찔해졌다.

* * *

부우우웅!

경기도 평택의 시골길을 커다란 버스들이 내달린다.

소위 닭장차라 불리는 경찰버스.

진압 장비를 착용한 젊은이들이 다리를 떨며 불안에 흔들린다.

“시발, 우리가 왜…….”

“하, 씨발.”

덤비면 다 죽여 버리겠다는 어느 교육생도, 일반인이 세 봤자 얼마나 세겠냐며 코웃음 치던 교육생도 시위 현장이 가까워져 가자 온몸을 압박하는 스트레스에 신경이 곤두서고 낯빛이 어두워져 갔다.

—도착하면…….

경찰버스 안에 있던 교육생들의 시선이 마이크를 잡은 종혁에게로 향한다.

—다른 건 생각하지 마라. 오직 옆 사람, 내 동기를 지키겠단 생각만 해라. 생각은, 그리고 책임은 우리가 질 테니까. 이상.

'동기?'

그들은 그제야 옆에 앉은 동기를 보며 억지로 미소를 지었고, 마이크를 끈 종혁은 자리에 앉으며 숨을 길게 내쉬었다.

옆자리에 앉은 교관이 수고했다는 듯 종혁의 어깨를 툭툭 두드렸다.

고개를 끄덕인 종혁은 앞만 바라봤다.

이 엿 같은 일에 무슨 말을 할 수 있을까.

그들은 침묵을 두른 채 현장에 도착했다.

—물러가라! 물러가라!

"물러가라! 물러가라!"

—배상해라! 배상해라!

"배상해라! 배상해라!"

악이 받친 외침들.

시위 현장의 분위기가 피부에 와닿자 낯빛이 검게 죽은 교육생들은 장비를 꽉 쥐었고, 뒤이어 추상 같은 호통이 그들에게 떨어졌다.

"뭐해, 새끼들아! 전원 하차!"

"하, 하차!"

우르르 경찰버스에서 내린 교육생들은 그대로 굳어 버렸다.

"아윽!"

"으으으!"

피가 스민 붕대를 감은 이들과 피로가 가득한 얼굴로 널브러져 있는 전경들. 전신을 엄습하는 처참한 기운에 그들은 얼어붙을 수밖에 없었다.

'우라지게 맑네.'

지상엔 지옥이 펼쳐져 있는데, 하늘은 왜 이렇게 맑은지.

"몸들 풀고 있고 있어. 언제 투입될지 모르니까."

"추, 충성!"

대답을 하는 분대장 교육생들을 뒤로한 종혁은 지휘부 막사로 향했다.

"그냥 밀어 버리라니까요!"

"씨발! 밀어 버리면? 그 책임은 누가지고! 재들이 누군지 몰라요?! 한총련이에요, 한총련!"

뜨거운 피를 흘려가며 결국 이 땅에 민주주의를 가져오는 데 큰 공을 세운 전대협의 의기를 계승한 한국대학총학생회연합, 한총련.

어디 그뿐인가. 다른 단체들도 우르르 몰려와 있다.

"그럼 어쩌자는 겁니까! 지금 VIP 심기가 불편하신 거 모릅니까?"

"애초부터 보상금을 제대로 책정하든가! 그럼 일도 없었잖아요! 씨발, 대체 얼마나 빼먹은 거야?"

"뭐? 빼먹어? 당신 지금 말 다했어?!"

'지랄이네.'

종혁은 막사 안으로 들어가려는 발을 멈추며 돌아섰다. 이 이상 저 소리를 들었다가는 폭발을 할 것 같아서.

'맞지. 보상금을 제대로 책정했어야지.'

하지만 저들이라고 잘못한 건 없다.

저들은 나름의 기준으로 배상을 책정했고, 이곳 우봉리 주민들은 그 배상금이 적다고 생각을 하는 것뿐이다.

그렇다고 우봉리 주민들이 천문학적인 배상을 원하는 것도 아니다. 이주를 하려는 곳에 지금만큼의 땅과 집을 지을 정도의 돈. 딱 그 정도만 원할 뿐이었다.

반면 정부 측은 그걸 용인할 수 없다는 입장.

이들의 말을 들어줘 버리면 다시 이와 비슷한 일이 벌어졌을 때 양보를 해야 되기에, 그로 인해 발생하는 피해는 국민들의 피와 땀이기에 정부 측도 물러서지 못하는 거다.

그 의견 차이가 결국 이런 사태를 불러와 버린 것이었다.

담배를 물던 종혁은 잔뜩 피로한 얼굴로 앞을 스쳐 지나가는 젊은 청년을 발견하곤 눈을 빛냈다.

"재현아."

"누구⋯⋯ 헉! 충성! 49기 박재현!"

"경례는 씨발. 됐어."

"흐흐. 오랜만이지 말입니다."
"군바리 다 됐네. 그보다 상황은 좀 어때?"
"……."
종혁은 눈치를 보는 그를 툭 치며 외진 곳으로 향했다.
찰칵! 치이익!
새까맣게 타 버린 가슴처럼 담배도 타들어 간다.
"씨발. 엿 같지 말입니다. 아니, 진짜 좆같아요, 선배."
"사상자는?"
"부상자만 9명 발생했어요. 끌려 가는 바람에……."
그나마 단순 골절 정도로 끝나서 다행이지만, 눈앞에서 끌려 가 몰매를 맞는 걸 본 후배는 큰 충격을 받을 수밖에 없었다.
"씨발, 저 씹새끼들……. 우리 그냥 막기만 했는데…… 그저 국가의 부름을 받은 죄밖에 없는 놈들인데……."
후배는 눈물을 글썽거렸지만, 종혁은 어떠한 위로도 하지 못했다. 양측의 사정 모두 이해가 가기에 함부로 입을 열기 어려운 탓이었다.
"사망자는 없고?"
"……아직은요. 정치인이 합류해서 앞으로 어떻게 될지 모르겠지만요."
정치인이 합류해서 시위대가 더 힘을 얻었다.
이젠 정말 어떻게 될지 몰랐다.
'흠, 우봉리 사태에 정치인도 개입했던가?'
하긴, 이 정도로 큰 사건에 정치인이 개입하지 않는다

는 게 이상했다.

"그래. 그래도 그만하길 다행이네."

"다행은요, 씨발……."

시민의 안전을 책임져야 하는 게 경찰이다.

그럼에도 이렇게 아무 죄 없는 시민을 때려잡는 일을 하고 있으니 정말 미쳐 돌아 버릴 것 같았다. 그러면서도 또 전경들을 끌고 가서 상해를 입힌 저 시위대도 증오스럽고.

그는 가슴을 새까맣게 태우는 분노를 대체 어디다 토해내야 될지 갈피를 잡을 수가 없었다.

"그보다 선배가 왜 여기 계세요? 본청에 계신 거 아니었어요?"

경찰대의 전설 최종혁. 순환 보직 기간에 경정까지 치고 올라간 그는 경찰대 모든 후배들의 우상이었다.

"중경에 교관 지원 나왔어. 이번에 순경 TO를 좀 늘렸잖아."

여러 일들로 인해 비게 된 TO를 아래에서부터 끌어 올렸기 때문이다.

"……가만 보면 대한민국 형사들 중 선배가 제일 바쁜 것 같아요."

"바쁘긴. 다 똑같지."

"그래도 부럽습니다. 아, 나도 얼른 형사돼서 범죄자 때려잡고 싶은데! 진짜 이런 일 말고 범죄자를…… 씨발."

다시 무너지려는 후배의 모습에 종혁은 꿀밤을 때렸다.

"정신 차려, 새끼야. 네가 이렇게 무너지면 네 새끼들은 누구에게 기대야 하는데? 우린 그래도 우리가 택한 일이지만, 쟤들은 억지로 끌려 온 거잖아."

"……."

"좆같아도 조금만 참자. 길게 끌 일도 아니니까."

"……아니라고요?"

"그럼? 이 사태가 길어지는 걸 VIP가 원하겠냐?"

사태가 장기화될수록 박노형 대통령에겐 흠집만 생긴다.

속속 경찰 병력들이 모이고 있으니 얼마 지나지 않아 상황은 끝나게 될 것이다.

회귀 전 역사대로 말이다.

"씨발, 그놈의 체면 진짜……. 후, 전 그럼 가 볼게요. 내 새끼들 기다리겠네요."

"이 일 끝나면 한잔하자."

"충성."

종혁은 후배가 떠나자 다시 담배를 물었다.

후배의 나이는 이제 고작 25살이다. 일반 남성으로 치자면 아직도 대학생일 나이대의 청년.

하하호호 웃으며 공부를 해도 모자랄 판에 풍랑 속 방향을 잃어버린 선장처럼 갈피를 잡지 모습을 보자니 가슴이 답답했다.

누구의 편을 들어 줄 수가 없어서 더.

경찰로서의 딜레마였다.

“좆같네, 진짜……. 차라리 범죄자를 때려잡는 게 낫지.”

물론 전경들을 끌고 가서 폭행한 건 무조건 잘못한 거였다.

종혁은 고개를 저으며 교육생들에게로 향했다.

“예, 납니다. 이번 우봉리 사태에 참여한 정치인이 누군지 좀 알아봐 주세요. 어떤 성향인지, 왜 왔는지에 대해 말이에요.”

믿을 수 없는 족속, 정치인.

정말 우봉리 주민들이 불쌍해 온 것이라면 다행이지만, 아니라면 정말 빌어먹을 상황이 된다.

‘이대로 투입되지 않고 끝나면 좋으련만…….’

전화를 끊은 종혁은 하늘을 보며 짧게 빌어 보았다.

* * *

“경찰 병력이 점점 많아지고 있습니다. 이게 무슨 뜻이겠습니까!”

“이 개새끼들!”

그들 시위대가 지휘 본부로 삼은 우봉 분교에서 고성이 터진다.

갑자기 증원된 천여 명의 병력들. 말을 들어 보니 다른 지방에서도 경찰 병력이 출발하고 있다고 한다.

이렇게 경찰 병력이 증원되면 답은 하나다.

강경 진압.

치솟은 분노가 정수리를 때리고 있었다.

"자자, 진정합시다. 지금 어르신들 앞에서 무슨 짓들입니까."

하얀 수염이 거침없이 난 백발의 노인이 다그치며 어깨를 움츠리고 있는 허리가 굽고 검게 탄 노인들을 가리키자 높아졌던 목소리가 낮아진다.

"하지만 신부님!"

"그만해요."

백발의 노인, 대책위원장 우정경 신부 단호한 말에 그들은 결국 입을 다물 수밖에 없었다.

우정경 신부는 옆에 앉은 홍익현 의원을 봤다.

진보 성향의 박노형 대통령이 강력하게 추진하는 일임에도 선뜻 찾아와 이렇게 힘을 실어 주는 진보 정당의 국회의원.

정말 고마운 사람이다.

"어떻게 생각하십니까, 의원님."

"제가 있는데 감히 강경 진압을 하겠습니까? 결코 있을 수 없는 일입니다. 지금 대통령은 크게 실수하는 거예요!"

그의 호언장담에 이 자리에 모인 사람들의 얼굴이 밝아진다.

그건 우정경 신부도 마찬가지다.

"일단 해외 언론에서도 주목할 수 있도록 시간을 더 끕시다. 그사이 제가 협상 테이블을 만들도록 하겠습니다. 우봉리 주민분들 모두 한 사람당 최소 3억! 제가 어떻게든 받아 내겠습니다!"

"와아!"

"홍익현! 홍익현!"

홍익현은 자신의 이름을 연호하는 사람들에 믿으라는 듯 미소로 고개를 끄덕이다 보좌관의 귓속말에 일어섰다.

"그럼 전 잠시."

사람들은 본부를 빠져나가는 홍익현을 연신 연호했지만, 우정경 신부의 표정은 썩 좋지 못했다. 흔들리는 주민 대표들의 눈동자를 본 그는 잠시 망설이다 몸을 일으켰다.

"홍 의원님."

"아, 신부님."

"잠시 저 좀 보시죠. 하느님 아버지의 말씀을 전하고 싶습니다."

우봉리 주민들을 돕기 위해 온 사람들로 인해 북적이는 복도를 둘러본 홍익현은 싱긋 웃었다.

"예, 그러시죠."

그들은 우봉 분교의 운동장 한구석에 있는 벤치로 향했다.

"홍 의원님, 오셨을 때도 말씀드렸지만 3억은 너무 많습니다. 이분들이 원하는 건 그렇게 큰 금액이 아닙니다."

우봉리 주민들 바라는 건 새로운 보금자리로 옮겼을 때 지금과 똑같이 살아갈 수 있는 금액 정도일 뿐이다.

지금 홍익현의 말은 지금 그 정도만 바라는 순박한 시골 사람들의 가슴에 욕망이라는 불을 지르는 행위였다. 이 지역구도 아닌 국회의원이 책임지지도 못할 짓을 하고 있었다.

아까 흔들리던 주민들의 눈이 그 증거였다.

이런 질책에 홍익현은 씁쓸히 웃으며 담배를 물었다.

치이익!

"후우우. 압니다, 신부님."

"그런데 왜……."

"하지만 형평성을 생각하셔야죠. 이곳 우봉리에서 태어나 우봉리에서 쭉 살아온 분들입니다. 이곳 우봉리가 저분들에겐 고향이고, 삶의 터전이며, 세상의 전부입니다."

그걸 전부 잃는 거다.

"그런데 정부 방침은 어땠습니까? 고향에서 쫓아내는데 실거래가도 아닌 공시가로 배상금을 책정하지 않았습니까? 그래서 신부님도 발 벗고 나서신 거 아닙니까."

어디 우정경 신부뿐일까. 현재 우봉리 주민들을 위해 전국에서 의인들이 함께하진 못해도 돕겠다며 우봉리에 땅을 사며 미군 기지 이전을 반대하고 있다.

"이런데 그냥 배상만 받고 끝나다뇨. 당연히 정신적 피해 보상도 받아야지요."

맞는 말이다.

평생을 살아온 고향에서 쫓겨나는 일이니 그런 보상까지 받는 게 옳다.

"……하지만 그걸 감안해도 3억은 너무 많습니다."

우정경 신부의 목소리가 수그러들자 홍익현은 옅게 웃었다.

"원래 흥정이란 크게 지르고 보는 거죠. 저도 여러분들이 정부에 제시한 1억 중반 정도로 생각하고 있습니다. 변수가 발생하면 그보다 더 낮아질 수도 있겠죠."

눈을 크게 떴던 우정경 신부는 이내 홍익현의 손을 꼭 잡으며 우려를 표했다.

"괜찮으시겠습니까? 그렇게 되면……."

"허허. 이참에 거짓말쟁이가 되어 보는 거죠. 이 사람 한 명만 욕먹으면 다 좋게 좋게 풀릴 일 아닙니까."

"의원님……."

"우리 우봉리 주민들을 위해 힘내 봅시다. 그럼 전 동료 의원들에게 전화를 돌려야 해서 이만."

홍익현은 자기 손을 잡은 우정경의 손등을 두드리며 일어섰고, 자신이 크게 오해했음을 깨달은 우정경은 그런 그를 향해 양손을 모았다.

"하늘에 계신 아버지……."

한편 우정경 신부에게서 멀어진 홍익현은 뒤를 따르는

보좌관을 향해 손을 내밀었고, 보좌관은 냉큼 품에서 물티슈를 꺼내어 건넸다.

"원래 여기에 오려고 했던 게 이태백 의원이었다고?"

"예. 그렇지만 의원님께서 한 발, 아니 세 발 빠르게 움직이셨습니다. 그제 그쪽 사무실 사람에게 듣기로 이태백 의원이 뭔가를 부수는 소리를 냈다고 합니다. 흐흐흐."

"흥. 이 바닥에선 느린 놈이 병신이지."

"맞습니다, 의원님."

"아무튼 알 박기 한 놈들 단단히 단속하고, 물자 좀 구해 와 봐. 영웅이 되려면 제대로 되어야지."

"예!"

떨어지라는 듯 손을 저은 홍익현은 핸드폰을 들었다.

"그래요, 강 기자."

홍익현은 입가에 음흉한 미소가 맺히기 시작했다.

* * *

"담당 부서 직원의 실수 말입니까?"

종혁은 현몽준 당대표의 말에 어이없다는 듯 헛웃음을 터트렸다.

-그렇습니다. 그래서 후에 실수를 인지하고 재협상을 하려고 했지만…….

"한총련이 먼저 왔다는 거군요."

정부라고 어찌 일을 조용히 마무리 짓고 싶지 않겠는가.

현몽준은 지금 타이밍이 어긋났다 말하고 있었다.

—그들이 합당한 액수를 제안했다면 정부도 못 이기는 척 협상에 응했을 겁니다. 이후 이와 비슷한 일이 발생한다고 하더라도 그게 대통령님의 성향이니까요. 그런데…….

갑자기 홍익현이라는 국회의원이 개입해 액수를 높였다. 무려 3억. 이제 정부로서는 결코 받아들일 수 없는 입장이 되어 버렸다.

아차 하는 사이에 그렇게 되어 버렸다.

그제야 이번 사태의 내막을 알게 된 종혁은 이마를 잡았다.

'그러게 빨리 좀 수습하지.'

이놈의 공무원들은 왜 이렇게 일 처리가 늦는지 모르겠다.

"같은 진보임에도 제어가 안 되나 보군요."

—당이 다르니까요.

같은 당이라도 국회의원은 함부로 건드리는 게 아니다. 당의 치부를 들고 반대 정당으로 가 버리면 낭패이기 때문이다.

"흠. 그럼 홍익현 의원의 성향은 어떻습니까?"

—성향이라……. 일단 밝혀진 것만 놓고 따지자면 물에 물 탄 듯, 술에 술 탄 듯 시류를 거스르지 않고 살아온 인물입니다. 운동권 출신도 아니고요.

"평범한 정치인이라는 말이시군요."

나탈리아가 조사한 것도 현몽준의 말과 다르지 않았다.

그렇기에 이상했다. 충청도에 적을 둔 국회의원이 굳이 경기도의 일에 간섭을 하는 이유가.

'지역구를 옮기려는 건가? 아니면 정말 의인인 걸까? 그것도 아니면…….'

현실을 모르는 이상주의자일 수도 있다.

3억이란 액수가 바로 그 증거였다.

"알겠습니다. 이른 아침부터 좋지 못한 일로 전화를 드려서 죄송합니다."

—……부디 이번 일로 마음이 다치지 않았으면 좋겠습니다, 최 팀장.

씁쓸히 웃으며 통화를 종료한 종혁은 머리를 긁었다.

"역시 좋은 분이라니까."

부르릉!

"……또 오네."

저 멀리서 새로운 경찰버스들이 달려오고 있다.

정부가 점점 강경 대응 쪽으로 마음을 기울고 있단 소리다.

미국과 뗄 수 없는 관계인 한국이니 얼른 일을 마무리 짓고 싶을 터.

"이러다 경찰 측에서 중상자라도 발생하면……."

바로 강경 대응에 들어가게 될 것이다.

'그 모습을 보고 과연 버틸 수 있을까?'

시위대에게 다친 경찰의 모습을, 분노에 휩싸인 경찰들

이 무자비하게 진압하는 모습을.

한숨을 길게 내쉰 종혁은 담배를 물었다.

그 순간이었다.

"최 교관! 최 교관-!"

종혁은 딱딱하게 굳은 얼굴로 달려오는 다른 교관의 모습에 이를 악물었다.

"빌어먹을."

아무래도 하늘은 작은 바람을 들어주지 않으려는 듯싶었다.

* * *

'제발 선두만은 아니길. 제발.'

종혁이 경찰대 3학년 때 경찰서에 실습을 나갔을 때, 그곳의 의경들이 그랬다. 전문적으로 시위하는 이들은 이쪽이 방심을 하는지 안 하는지, 애송이인지 아닌지 기똥차게 안다고 말이다.

진압 훈련조차도 겉핥기로 배운 교육생들이라면 무조건 끌려간다고 봐야 했다.

교관이 된 지 고작 열흘 정도 됐을 뿐이지만, 자신이 맡은 이들이 그 꼴을 당하는 걸 결코 두고 볼 수 없었다.

"충성. 경정 최종혁……."

막사에 도착한 종혁은 어깨를 짓누르는 묵직한 침묵에 의아해하다가 막사 중앙 테이블에 놓인 컴퓨터, 포털 사이트 뉴스 제목들을 보고 그대로 얼어붙었다.

경찰의 강경 진압. 시위대 40명 부상.
참여 정부? NO! 불통 정부!
국민을 위한 정치를 하겠다던 대통령은 어디로 갔나.
국민을 죽이는 대통령. 하야해야.

섬뜩!
'이런 미친?!'
하야.
언론이 선을 넘었다. 그것도 갑자기.
'대체 뭘 잘못 처먹었기에!'
그렇지 않아도 높던 지지율이, 경찰이 위수 지역을 밀어 버리면서 천장까지 치솟은 박노형 대통령이다.
이토록 국민의 지지를 받는 대통령을 칼로 찌르는 게 얼마나 미련한 짓인지는 이들 언론사가 더욱 잘 알고 있을 터.
그렇기에 어제까지만 해도 격한 단어를 자제하던 그들이 갑자기 선을 넘었다.
지금은 자그마한 불씨에 불과할지라도 여론이 형성되면 들불처럼 번지는 건 시간문제라고 봐야 했다.
그건 곧 회귀 전보다 더 끔찍한 상황이 발생할 수도 있다는 뜻이었다. 양측 모두에게 말이다.
'아직 일주일 넘게 남았는데! 왜! 갑자기 왜! ……설마?'

순간 어떤 냄새를 맡은 종혁은 누군가를 떠올리며 얼굴을 와락 구겼다.

'당신이야? 대체 어쩌자고! 왜!'

"……어제 시위대 얼마나 다쳤어?"

"아닙니다! 이건 오보입니다! 저희 애들이 끌려가 맞은 건 있어도 시위대가 다쳤다는 보고는 들은 적이 없습니다!"

빠악!

정강이를 때리는 구둣발 소리가 막사를 울린다.

"지금 그게 문제가 아니잖아!"

맞다. 언론이 다쳤다고 한 순간 시위대는 다친 것이었다.

"이제 어떻게 할 거야, 이제!"

"죄, 죄송합니다!"

종혁은 쩔쩔매는 고위 간부를 일견하며 돌아섰다.

일단 포털 사이트에서 저 하야란 섬뜩한 단어를 없애야 했기 때문이다.

'그렇지 않으면 정말 다 죽는 거라고!'

경찰의 피해가 막심해질 수 있었다.

그 순간이었다.

띠리링! 띠리링!

종혁과 사람들은 때마침 울리는 전화에 식겁하며 테이블 중앙에 놓인 전화기를 응시했다.

"예. 이준송…… 추, 충성!"

종혁은 이마를 잡았다.

이곳에 경찰 책임자로 온 사람이 경기도경찰청 청장이다. 그런 그의 안색을 사색으로 만들 사람은 대한민국에 많지 않았다.

'박노형 대통령.'

종혁과 같은 것을 떠올린 군과 정부 책임자까지 모두 다급히 자세를 바로 했다.

"아, 아닙니다! 조사 결과 오보로 판명…… 예?! 하지만 대통령님! 지금 그렇게 하면…… 알겠습니다. 충성."

사람들은 경기청장의 표정 변화를 보며 이마를 잡았고, 전화기를 내려놓은 경기청장은 한숨을 길게 내뱉었다.

"……대통령께서 전진하시랍니다. 저쪽에서 대화가 아니라 거짓 선동을 택했으니 진실로 만들어 주라고 말입니다. 화가 많이 나신 것 같습니다."

'지랄 났네.'

늦었다.

종혁은 눈을 질끈 감으며 막사를 빠져나왔다.

안 그래도 결코 저들의 입장을 받아들일 수 없는 정부가 이젠 그나마 열어 놓았던 대화 창구마저 닫아 버렸다.

아니, 강경 대응 쪽으로 완벽하게 방향을 잡았다.

회귀 전의 사건 흐름보다 빨리 말이다.

"나예요, 권 이사. 지금 당장 넥스트와 에이버에서 하야란 단어부터 빼게 하세요. 사람 여럿 죽기 전에!"

종혁의 마음이 급해졌다.

하지만 그 눈은 시리도록 차가워졌다.

"그리고 내가 이런 말 나오지 않게 해 달라고 하지 않았나요? 어떻게 된 일인지 파악해서 보고 올리세요."

수백의 인명이 다칠 일이기에 혹시나 해서 지시해 놓았던 일.

"빌어먹을."

전화를 끊은 종혁은 이제 실전을 겪어야 하는 교육생들을 향해 걸음을 옮겼다.

한편 우봉리 주민들의 위한 대책본부가 있는 우봉 분교도 난리가 났다. 그들도 하야란 기사 글귀를 보곤 패닉에 빠진 상태였다.

"미, 미친!"

언론이 협상 테이블을 걷어찼다. 이쪽은 원하지도 않았는데 말이다.

메인에 장식되지만 않았으면 여지가 있을 텐데, 메인에 떠 버렸다. 언제 터질지 모르지만, 무조건 터질 폭탄의 도화선에 불이 붙었다고 봐야 했다.

"이 씨발 쓰레기 새끼들!"

그동안 자신들의 목소리를 세상에 알려 주던 언론이 뒤통수를 쳤다.

하지만 지금은 그게 문제가 아니었다.

그들은 다급히 우정경 신부를 쳐다봤고, 그는 주민 대

표들을 보고 있었다.

일단의 상황에 사색이 되어 버린 주민 대표들.

"우, 우린……."

어쩌다 이렇게 된 걸까. 그렇게 대단한 것을 원한 것도 아니었는데.

정부의 보상 발표 이후 접근하던 사기꾼들에게 차라리 땅을 팔아 버리는 게 나았을지도 몰랐다.

우정경 신부는 패닉에 빠진 주민 대표들의 손을 꽉 잡았다.

"한 번 밀리기 시작하면 끝입니다, 대표님들."

"하, 하지만 이건…… 대화로 할 순 없는 겁니까?"

"마, 맞아요. 아직 늦지 않았을지 모르잖아요!"

"늦었습니다. 결단을 내려야 합니다."

어디까지나 이번 시위의 주체는 이들 우봉리 주민이다. 순박하고 순수해 살려 달란 절규만 겨우 하던 이들.

"신부님!"

"하지만 원하신다면 저들의 진입을 막기만 하겠습니다. 그렇게 하면 되겠습니까?"

"마, 막기만…… 그래도 되는 겁니까?"

"저들의 기세가 등등해지겠지만, 그래도 이 악물고 버틴다면 대화의 창구는 열리게 될 겁니다."

주민 대표들의 얼굴은 순간 밝아졌다.

"그, 그렇다면……."

"고맙습니다."

푸근히 웃어 준 우정경 신부는 시위대를 향해 고개를 끄덕여 주었다.

"감사합니다! 뭐해! 얼른 튀어 나가! 경찰이 전진한다!"

"화염병 만들고 물부터 받아! 언제 물 끊길지 몰라!"

순식간에 전시 태세에 접어드는 대책본부의 모습에 우정경 신부는 주민 대표들의 손을 잡은 채 눈을 감으며 성호를 그렸다.

"하느님 아버지. 부디 정의를 위해 나선 당신의 어린양들이 다치지 않게 않도록 해 주옵시고, 이 상황이 오해였음을 대통령께서 알게 해 주옵시고……."

그는 곧 있으면 열릴 끔찍한 지옥이 부디 온전히 제 모습을 드러내지 않고 봉합되기를 간절히 기도하였다.

그리고 그런 그를 바라보던 홍익현은 피식 웃으며 돌아서 차로 향했다.

자신도 전투복을 입어야 했기 때문이다.

-하하, 제 솜씨가 어떻습니까?

"놀랍더군요. 메인에 올리기 힘들었을 텐데요."

-그래서 인맥을 다 동원했습니다. 알바들을 많이 썼고요.

"알바 말입니까?"

대충 무슨 뜻인지 알아차린 홍익현은 비릿하게 웃었다.

"홍 의원님! 의원님은 본부에 계시지 왜……."

"이런 상황에서 어떻게 가만있겠습니까. 저도 곧 옷을

갈아입고 따라갈 테니 먼저 가 계십시오. 그래야 저들이 더 전진을 못하죠."

"크흑! 알겠습니다! 가자!"

홍익현은 멀어지는 시위대를 응시하다 귀에 꽂힌 이어폰을 꾹 눌렀다.

"아무튼 수고했습니다. 계속 수고해 주세요."

—흐흐. 걱정 마십시오, 의원님!

통화를 종료한 홍익현은 이리저리 내달리는 시위대를 가만히 응시했다.

'불난 들판의 메뚜기 떼 같군.'

그래서 보기가 좋다.

저렇게 당황하고 당황할수록 사망자가 나올 확률이 늘어나니 말이다. 아니, 무조건 사망자가 나와야 했다.

'그래야 대통령을 더 압박할 수 있겠지.'

하찮은 목숨 몇 개 버려 이득을 얻는다면 그보다 남는 장사가 있을까.

그는 싸늘하게 웃으며 핸드폰을 들었다.

"예, 홍익현입니다."

그는 이 사태를 더욱 고조시켜 줄 이들에게 전화를 걸었다.

* * *

"일보 전진!"

"일보 전진!"
"씨발! 오지 마!"
"이 개새끼들이-!"
안 그래도 동료가 다친 것 때문에 이를 갈던 전경들이 이를 갈며 한 발 나섰고, 시위대는 어떻게든 물러나지 않게 격렬히 저항했다.
-시위대는 해산하세요! 부모님께 미안하지도 않습니까! 다칠 수도 있습니다!
"좆까! 꺼져!"
"오지 마, 이 정권의 개새끼들아!"
-……전진해.
"일보 전진!"
"죽여 버려!"
"으아아아아!"
콰앙! 빠악!
각목과 돌이 악다구니와 함께 진압 방패 위로 쏟아지고, 전경들은 이를 악물며 발을 내딛는다.
여차하면 대규모 전투로 이어질 상황.
그 모습을 지켜보는 이들은 꽉 조여 오는 숨통에 어쩔 줄 몰라 했지만, 이충호는 아니었다.
'대체 왜 일면식도 없는 사람들을 위해 저러는 거지? 저런다고 밥이 나와, 돈이 나와?'
그의 상식으로는 결코 이해할 수 없는 행동.
이충호는 자신과 같은 생각을 가진 사람이 있는지 주위

를 둘러봤다.

"후욱! 훅!"

"씨발! 씨발!"

'……몇 명 있군.'

잔뜩 긴장한 사람들 사이 이충호와 비슷하게 심드렁한 표정을 짓는 이들이 있었다.

'224번, 478번, 그리고…… 조정근?'

"뭘 꼬나봐, 시발놈아. 앞에 안 봐?"

"……흥."

이충호는 224번을 찾아 옆을 돌아봤다.

'나처럼 염세적인 성향이라…….'

이충호의 눈빛이 가라앉았다.

'나쁘지 않아.'

원래 비슷한 성향끼린 말이 통하는 법이고, 이충호는 그런 성향의 사람까지도 어떻게 다뤄야 하는지 어머니를 통해 배워서 잘 알고 있었다.

'일단 이야기부터 나눠 봐야겠군.'

정다현이나 도병훈이 있었다면 이런 수고도 안 할 테지만, 이젠 대신 움직여 줄 사람이 없었다. 종혁이 묶어 놓은 같은 조원도 그를 무시하는 상황.

수족처럼 움직일 수 있는 놈을 어떻게든 자신의 편으로 끌어들여야만 했다.

빠악! 빡!

"뭐하는 거야! 앞에 주시해! 지금 동료들이 사투를 벌이고 있잖아!"

'시발! 최종혁 저 새끼는 내가 꼭 죽인다.'

자신의 뒤통수를 후려친 종혁을 향해 이를 간 이충호는 전방을 주시했고, 종혁은 이를 악물었다.

이렇게 무력감을 느껴 보는 게 몇 년 만일까.

눈앞에서 피가 터지고 있는데, 나라의 부름에 억지로 끌려온 시민들이 피를 흘리는데 개입을 하지 못하고 있다.

"움직이지 마! 자리 지켜! 대열이 흐트러지면 안 돼!"

종혁은 사방에서 터지는 외침에 주먹을 쥐었다.

이제 모든 건 끝났다. 도화선에 불이 붙었으니 그저 바라보는 수밖에 없다.

그저 여기에 서서 말이다.

"시발……."

그때였다.

"멈춰! 멈춰, 이 나쁜 새끼들아!"

−헉! 정지! 정지−!

시위대를 헤치며 앞으로 나서는 중후한 이미지의 오십대 장년인.

'홍익현 의원.'

종혁은 허름하고 두꺼운 옷을 입고 장판파의 장비처럼 전경들을 막아서는 홍익현을 차갑게 응시했다.

사태를 이렇게 악화시킨 걸로 추정되는 장본인을 말이다.

우연인지 둘의 눈이 허공에서 부딪쳤다.

홍익현 의원이 전경들을 막아서며 사태는 잠시 소강상태에 접어들었다.

아무리 대통령의 명령이 떨어졌다고 한들 국회의원을 함부로 건드리는 건 큰 부담이기도 하거니와, 오전 목표로 정해 놓은 포인트까지 전진을 했기 때문이다.

'골치 아프게 됐네.'

시위대보다 더 고생을 한 것인지 씻지 못한 꾀죄죄한 얼굴을 한 홍익현. 옷도 어디 헌옷수거함에서 주워 입은 건지 거지꼴이 따로 없다.

아니, 우봉리 주민들의 권익 보호를 위해 얼마나 진심인지가 절절하게 전해져 온다.

그런 국회의원을 어찌 힘으로 밀어붙일 수 있을까. 정말 골치 아픈 상황이 된 거다.

'의인인 건가…… 아님 이상주의 망상가인가…….'

어쩌면 둘 다일 수도 있었다.

'그러니 막 나간 거겠지.'

그래도 국회의원 정도 되는 양반이 저렇게 나서 준다는 건 존중할 수밖에 없었다.

물론 딱 거기까지다. 방법이 잘못된 이상 결코 용납할 수가 없었다.

"최 팀장."

"헛! 충성."

경기청장이 다가와 종혁의 어깨를 두드린다.

"이런 대규모 시위는 처음이지?"

종혁은 씁쓸히 웃는 걸로 대답을 대신했고, 경기청장은 담배를 물었다.

"많이 놀랐겠지만, 그래도 이 정도면 아주 양호한 거야."

"그렇습니까?"

'……확실히 그렇긴 하네. 최소한 칼은 안 들었잖아.'

그만큼 위험한 죽창을 들고 있지만 말이다.

대화에 폭력이라는 수단을 동원한 순간, 저들 또한 홍익현처럼 용납할 수 없는 건 마찬가지였다.

"거기다 무슨 의도인지 모르겠지만, 우리의 전진을 막고만 있잖아. 또 아직까지 화염병도 안 날아왔고. 저 새끼들 꼴을 보니 곧 날아올 것 같지만…… 물론 그렇게 되면 저놈들은 끝이지."

명확하게 살상 무기로 지정된 화염병이 날아온 순간 이쪽도 무력 진압을 할 명분을 가지게 된다.

화염병은 최후의 보루였다.

"몇 시 교대지?"

"아, 저는 오후 7시 교대입니다."

해가 지는 오후 7시가 되면 최전방으로 향한다.

그리고 오후에 예정된 포인트까지 전진한 최전방의 전경들과 교대를 한다. 전선 유지. 그게 중경 교육생들에게 하달된 명령이었다.

'결국 투입이 되네.'

종혁은 부디 격돌이 일어나지 않기를 빌었다.

"그런데 괜찮겠습니까?"

종혁은 최전방 전경들에게서 약 15미터 떨어진 곳에 앉아 시위대들과 노래를 부르며 이쪽을 노려보는 홍익현을 가리켰다.

"……씨벌놈."

"풉!"

"어디서 저런 청개구리가 튀어나온 건지……. 하지만 방패로만 미는데 지들이 어쩔 거야."

이쪽이 진압봉을 휘두르지 않는 이상 저들에겐 절대 명분이 쥐어지지 않는다. 시위대가 무도한 탄압을 당하고 있다는 명분이.

"그래도 최대한 다치지 않게 해야겠지."

국회의원을, 그것도 저렇게 시위대와 함께 투쟁하는 국회의원에게 자칫 큰 상처라도 입혔다가는 이번 사태가 원만히 마무리되어도 경기청장 본인이 징계를 받을 수 있었다.

"그렇다고 한들 대통령님의 명령이 우선이지만. 빌어먹을."

"도움이 못 되어 드려서 죄송합니다."

"도움은 무슨. 됐어. 아무튼 어제오늘 내기하느라 수고했으니까 잠시 중경 교육생들 데리고 목욕탕이라도 다녀와."

"예? 하지만……."

"정 미안하면 오는 길에 간식이라도 좀 사 오든가. 다들 젊어서 그런지 먹어도 먹어도 부족해 보여."

종혁은 윙크를 하는 경기청장의 모습에 끙 앓는 소리를 냈다.

'이 양반 아직도 포기 안 하셨네.'

종혁 본인을 영입하려는 것을 말이다.

하지만 그렇지 않아도 샤워가 절실하던 참이었다.

몸이 찝찝해서가 아니라 마음을 가다듬기 위해서, 혹여 격돌이 일어났을 때 교육생들을 지키기 위해 망설임 없이 폭력을 휘두를 각오를 세우기 위해서 말이다.

"감사합니다. 충성."

"그래. 정말 맛있는 거 사 와야 해."

종혁의 어깨를 다시 두드린 경기청장은 쿨하게 돌아섰고, 종혁은 그 모습을 보며 피식 웃었다.

"이게 이렇게 기회가 생기네."

의심 가는 놈들의 신체를 확인할 기회.

종혁은 시위대와 시시덕거리는 홍익현을 응시하다 돌아섰다.

'부디 허튼짓은 하지 마십쇼.'

아무리 경찰의 대척점에 서 있다지만, 의인을 패는 건 결코 기쁜 일이 아니니 말이다.

종혁은 부디 폭력을 휘두를 상황이 오지 않기를 바랐다.

망설임 없이 폭력을 휘두르기 위해 마음을 가다듬으러 가는 것임에도 말이다.

*　*　*

부르릉!

평택시로 향하는 버스 안, 교육생들의 입이 다물어진 채 열릴 줄 모른다. 코앞에서 본 시위대와의 격돌이 커다란 충격으로 다가왔기 때문이다.

말로만 듣던 피가 튀고 살점이 날아다니는 시위.

광기로 얼룩진 폭력.

일평생 이런 진짜 폭력을 모르고 살아온 그들에게 있어 오늘의 경험은 충격과 공포 그 자체였다.

종혁은 경찰버스 안을 걸으며 그런 그들의 눈빛을 살피다 마이크를 들었다.

"곧 버스가 서면 오직 정면의 목욕탕만 보고 걸어 들어갔다가 씻고 다시 버스로 복귀한다. 이 간단한 걸 외우지 못하는 놈들은 없겠지?"

"예……."

"없겠지?!"

"예-!"

"좋아. 질문?"

잠시 침묵이 흐르던 그때, 슬그머니 손을 올리는 인물이 있었다. 정다현이었다.

"어, 그래. 왜?"

"목욕탕에 들어가기 전에 잠시 집에 연락 좀 드려도 되겠습니까? 집에서 걱정하고 계실지도 몰라서요."

"흠…… 그래, 그러면 목욕 후에 시간 줄 테니까 다른 사람들도 다들 연락할 곳 있으면 하도록 해."

"헉!"

생각지도 못한 종혁의 자비에 깜짝 놀란 교육생들은 눈을 동그랗게 떴고, 종혁은 고개를 모로 기울였다.

"뭐야, 싫어? 그럼 관둬?"

"아, 아닙니다!"

"와아아아아아!"

부르릉!

"최 교관!"

"좋아! 전원 장비 두고 하차!"

"장비 두고 하차!"

우르르 버스에서 내린 교육생들이 코앞에 있는 목욕탕으로 걸음을 옮기던 그때였다.

지이잉! 지이잉!

발신자를 확인한 종혁은 한 교관을 불러 세웠다.

"저 잠시 통화 좀 하고 들어갈 테니 애들 통제 좀 부탁드리겠습니다."

"쯧. 알았어."

교관이 안으로 들어가자 종혁은 핸드폰을 들었다.

"당분간은 바빠서 데이트가 힘든데요, 나탈리아."

-후훗. 그쪽으로 선물 하나를 보냈으니 확인해 보세요, 최.

"선물이요?"

—저와 CIA가 함께…… 쯧, 끊을게요.

종혁은 고개를 모로 기울였고, 잠시 후 그의 앞에 검은색 승합차 한 대가 섰다. 종혁을 따라다니며 보호하는 러시아 요원들이 탄 차량이다.

"여기 있습니다, 최."

"고마워요. 잘 쓸게요."

"그럼 전 이만……. Поехали(가자)."

부르릉!

차량이 떠나자 종혁은 그들이 넘긴 검은색 가방을 열었다가 의아해했다.

가방 안에는 몇 장의 서류가 담겨 있었다.

"흠. 대체 뭘 조사……."

그 서류의 내용을 살피던 종혁은 입을 다물었다. 그리고 이내 그의 두 눈이 흔들리기 시작했다.

그 순간이었다.

지이잉! 지이잉!

"예. 간편신고관리과……."

—보스, 저예요. 에이버와 넥스트에 문의해 본 결과가 나왔어요.

"……왜 그런 겁니까."

—중복된 아이피로 조회수를 조작한 세력이 있었어요. 그 주소는 알아낼 수 없었지만요.

종혁의 표정이 딱딱하게 굳었다.

"알겠습니다. 수고했습니다. 일단 제게 아이피 주소 보내 주세요. 조사는 이쪽에서 할 테니까."

-네. 그리고 죄송해요.

"이번 일 끝나면 회식이나 하죠. 오랜만에 소영이 어머님이 해 주는 음식이 먹고 싶네요."

-다신 이런 일 없도록 할게요. 무조건.

"끊겠습니다."

통화를 종료한 종혁은 다시 서류를 살피다 눈을 감았다.

'빌어먹을. 일단 이놈들 몸뚱이부터 살펴야겠군.'

지금 바로 확신을 가지기엔 어려운 내용이었다.

종혁은 다시 한숨을 내뱉으며 목욕탕으로 향했다.

* * *

"으아아아! 좋다!"

펑펑 쏟아지는 뜨거운 물줄기에 어제오늘의 피로를 씻어 내는 교육생들. 온탕에 몸을 담근 이충호가 그런 그들을, 정확히는 224번을 빤히 응시한다.

'일단 등을 밀어 준다며 접근을…….'

"……씨발."

갑자기 술렁이는 분위기에 고개를 돌린 이충호는 눈을 부릅떴다.

'이, 이 괴물 새끼!'

언젠가 꼭 죽여 버릴 놈인데 갑자기 자신감이 사라진다.

이충호는 대부분의 교육생들처럼 다리를 오므리며 시선을 돌렸고, 귀엽다는 듯 피식 웃은 종혁은 가슴을 펴며 샤워기로 향했다.

그러며 그 눈동자는 빠르게 움직여 이곳 목욕탕에서 씻기로 한 100여 명 교육생들의 전신을 훑었다.

쏴아아아!

'음. 일단 드러난 부분에 문신이 있는 놈은 없군. 그런데…….'

무언가에 베이고 찢긴 흉터를 달고 있는 놈들이 몇 명 있다.

그리고 공교롭게도 이충호와 224번도 그 안에 포함되어 있었다.

눈빛이 더 가라앉은 종혁은 온탕에 몸을 담갔고, 이충호는 슬그머니 수건으로 사타구니를 가리며 몸을 일으켰다.

"이충호, 애들한테 몸 불린 후에 저기 세신 침대로 모이라고 해. 떼 밀어 줄 테니까."

"예? 아, 아닙니다! 괜찮습니다!"

"아니면 나 목욕 끝날 때까지 투명의자 하든가."

'빌어먹을! 텄군.'

224번에게 자연스럽게 접근하려던 방법을 쓸 수 없게 됐다.

"알겠…… 습니다. 충성."

대충 손을 저은 종혁은 멍하니 허공을 응시했고, 이를 악물며 나온 이충호는 살심을 가라앉히며 224번을 찾았다.

'저기 있군.'

의자에 앉아 때를 밀 준비를 하고 있는 224번.

그 주위엔 종혁에게 따로 교육을 받는 교육생들만 있다. 다른 교육생들은 마치 그들이 전염병 환자인 양 거리를 두고 있었다.

'일단 비싼 음료수를 사 주는 걸로 일단 안면부터 터야…….'

224번에게 다가서던 이충호는 무언가를 발견한 순간 사고가 멈췄다. 그의 눈빛은 풍랑을 만난 듯 흔들렸다.

하지만 그것도 잠시. 어이없다는 듯 피식 웃은 이충호는 수건을 벗으며 224번에게 다가갔다.

"야, 최 교관이 때 밀어 줄 테니 밀지 말란다."

"씨발. 함부로 다가오지……."

목욕탕 의자에 앉아 고개를 돌렸기에 자연스럽게 이충호의 안쪽 허벅지를 본 224번의 입이 다물어진다.

이충호는 그런 그의 옆에 앉으며 미소를 지었다.

"이렇게 인사하는 건 처음인 것 같네. 이충호다."

"……오창진."

마치 인형의 그것처럼 감정이 사라진 오창진의 눈과 그 발바닥을 일견한 이충호는 오창진의 옆에 앉은 이에게 중지를 치켜들었다.

"뭘 꼬나봐, 조정근 씨발 새끼야."

그랬다. 조정근도 동지였다.

"이런 씨발. 대체 어떻게……."

얼굴을 와락 구기는 조정근.

이충호는 반대쪽 중지를 치켜세우면서 헛웃음을 터트렸다.

'이놈도 회사 소속이었다니…….'

동지끼리 그렇게 각을 세우고 못 잡아먹어 안달 냈다는 것에 어이가 없었다. 아니, 이렇게 동지가 많았음에도 서로 알아보지 못했다는 것에 어이가 없었다.

그리고 그 동지들끼리 이렇게 한 패거리로 뭉치게 된 것도 말이다.

'그래, 나 말고 다른 직원들도 입교할 거라곤 예상 했지. 어머니도 그런 뉘앙스를 풍겼고.'

회사가 자신과 같은 인턴에게 순경 시험에 합격하라는 지령을 내렸을 때부터 이미 눈치를 챘다. 자신을 경찰의 정보를 날라다 줄 빨라지로 쓸 거란 걸 말이다.

'그런 중요한 일인데 나만 보냈을 리가 없잖아.'

그래서 크게 놀랍지는 않다.

아니, 지금 이 순간 자신의 옆에 앉은 이놈보다 놀라운 건 없었다.

이충호는 떨리는 눈으로 차갑게 가라앉은, 그 낯선 눈동자를 응시하며 겨우 그 이름을 불렀다.

"다현아."

"그래, 충호야."

목소리조차 낯설었다.

"끼아악!"

째진 비명 소리가 목욕탕을 꿰뚫자 모두 세신 침대가 있는 쪽을 봤다가 다급히 고개를 돌렸다.

때 수건을 든 종혁에게 붙들려 물 밖으로 나온 넙치처럼 펄떡이는 어느 희생자 꼴이 되고 싶지 않았기 때문이다.

"아, 아픕니다! 아파요! 사, 살려 주세요!"

"괜찮아. 이 정도로 안 죽…… 아, 피 난다. 괜찮아. 침 바르면 나아. 자, 시원하지? 그동안 고생해서 밀어 주는 거야."

"끄허억!"

……꿀꺽.

침을 삼킨 한 교육생이 줄을 이탈해 이충호 옆에 서며 투명의자 자세를 취한다.

"오케이, 끝! 다음……."

후련하게 웃으며 뒤를 돌아봤던 종혁은 눈을 가늘게 떴다.

'이충호, 오창진, 조정근, 그리고 정다현.'

줄조차 서지 않고 투명의자를 택한 놈들이다.

마치 들킬 게 있으면 안 되는 사람처럼 행동하고 있다. 그러며 서로를 의식하고 있다. 왜 투명의자를 선택을 한 것인지 이해가 잘 안 되는 정다현까지 넷 모두.

의심이 될 수밖에 없다.

그 외에도 옆으로 10명 정도가 투명의자를 하고 있었다.

'흠…….'

대충 견적을 낸 종혁은 미간을 좁히며 으르렁거렸다.

"씨벌놈들. 그래, 이 교관님의 선물이 싫다는 거지?"

"헉! 아, 아닙니다! 전 줄을……."

"됐어. 꺼져. 나도 나 싫다는 놈들 싫다."

쿵!

발을 구른 종혁은 목욕탕을 나섰고, 교육생들은 가장 먼저 투명의자를 했던 이충호를 죽일 듯 노려보며 흩어졌다.

괜스레 혼자 원망을 받게 된 이충호는 좀 억울했지만, 이내 등을 툭 치는 정다현의 행동에 입을 다물며 샤워기로 향했다.

얼른 마무리를 해야 될 이유가 생겼기 때문이다.

'씨발. 우리도 어쩔 수 없었다고.'

똑같은 문신이 발견된다? 누구라도 의심할 상황이다.

그게 조직의 일을 번번이 방해한 종혁이라면 더더욱 안 됐다.

그렇게 후딱 씻은 그는 탈의실 한구석에 놓인 전화기로 향했지만 이미 먼저 온 이들이 있었다. 가만히 순서를 기다리던 이충호는 자기 차례가 되자 얼른 전화기를 들었다.

뚜르르! 뚜르르!

―여보세요?

"어머니!"

―아들! 어디야? 이번에 평택에서 큰 시위가 있다던데 설마 거긴 아니지?

웅성웅성.

손님들이 있는지 수화기 너머가 시끄럽다.

"죄송해요, 어머니. 갑작스럽게 이동한 거라서 연락드릴 틈이 없었어요. 그보다……."

이충호는 목소리를 낮췄다.

"저 새 친구들을 사귀었어요. 동지 같은 애들을요."

―그러니? 잘됐네. 서로 의지하며 근무하렴. 그보다 우리 아들 밥은 먹고 다니니? 집에 오면 제일 먹고 싶은 게 뭐야? 엄마가 줄 것도 있는데!

'줄 것? 지령이다.'

이충호의 눈빛이 낮아졌다.

"저야 어머니가 해 주시는 거면 다 좋죠. 그리고 무슨 선물을 사셨기에 절 그렇게 기대하게 만드세요?"

―으응. 별건 아니고 오늘 누가 널 찾아갈 거야. 그 사람이 하자는 대로 하면 돼. 따라오라면 따라가. 그보다 언제 근무하니?

"오후 7시에 교대해요."

―알았다. 다치지 말고. 그랬다간 정말 혼나?

마지막 한마디에, 따스한 온정이 가득한 그 말에 이충

호의 얼굴에 미소가 번진다.

"네. 어머니도 무리하지 마시고요. 끊을게요."

통화를 종료한 이충호는 뒤에 서 있는 정다현에게 전화기를 넘기곤 자리를 떠났고, 그 근처에서 바나나 우유를 마시는 척 서 있던 종혁은 혀를 찼다.

'잘 안 들리네.'

이충호가 연락을 할 줄 알았다면 나탈리아에게 도청 장치라도 요구할 걸 그랬다.

고개를 저은 종혁은 몸을 돌렸다.

의심 가는 놈들이 있지만, 여기서 더 다가갔다가는 그림이 이상해질 터. 여기선 물러나는 게 옳았다.

'그래도 소득은 있으니까!'

이곳 목욕탕에서의 목표는 거의 달성했다.

음료수를 마저 들이켠 종혁은 냉장고 문을 활짝 열었다.

"다들 뭐하냐! 목욕했으면 바나나 우유를 마셔 줘야지!"

"우와아아아아……!"

* * *

'누굴 따라가라는 걸까.'

생각에 잠긴 이충호는 정다현을 응시했다. 마치 너도 같은 지령을 받았냐는 듯 말이다.

정다현은 혀를 차며 고개를 돌렸고, 이충호는 얼굴을

구겼다.

'빌어먹을. 이럴 줄 알았다면 그때 병실에서 그 말을 하지 말…… 미친, 지금 무슨 생각을 하는 거지?'

왜 정다현만 보면 이렇게 나약한 생각을 하게 되는 걸까.

이충호는 고개를 저었다.

'됐어. 어차피 얘도 경쟁자야.'

앞으로 진급을 다툴 경쟁자.

어차피 전국으로 찢어질 테니 1차 교육을 마치면 언제 볼지 모르는 사이기도 하다. 그저 같은 동지라는 동질감만 품고 있으면 된다. 딱 거기까지였다.

이충호는 애써 신경을 꺼 버렸고, 그런 그들의 뒤통수를 응시하던 종혁은 앞으로 나섰다.

"다들 배는 든든하게 채웠냐!"

"예……!"

순간 교육생들의 얼굴이 펴진다.

종혁이 사비로 계산한 따끈한 저녁밥.

지난 이틀 동안 먹은 다 식은 도시락이 아니라 뜨끈한 김이 올라오던 국밥과 수육은 그들로 하여금 아주 잠시나마 웃을 수 있는 시간을 가지게 해 주었다.

거기다 목욕탕에서의 그 기행과 호텔 신화에서 만든 샌드위치.

그래선지 그렇게 무섭던 종혁이 왠지 다르게 보였다.

종혁은 변화한 눈빛들에 다행이라고 고개를 끄덕이다가 낯빛을 굳혔다. 이충호들은 이충호들이고, 교육생들은 교육생들이다.

“이제 우린 최전방으로 향한다. 오후에 전경들이 100미터를 밀어붙였으니 잔뜩 독이 올랐을 거다.”

원래 우봉 분교 2km 앞에 진을 친 시위대.

그리고 복귀했을 때 피투성이 붕대를 감고 있던 전경들.

고작 100미터를 나아가기 위해 사투를 벌인 그들이 보내던 눈빛은 독이 잔뜩 오른 맹수의 그것이었다.

막대한 중압감이 교육생들의 어깨를 짓누른다.

“전에 말했듯이 이것만 명심해라. 절대 옆 사람을 놓지 마라. 끌려가게 두지 마. 너흰 동기다. 그리고 동기는 가족이다! 뭐라고?”

“……동기는 가족!”

“안 들린다! 뭐라고?!”

“동기는 가족-!”

“가조옥!”

“그래. 그것만 명심하고 버텨라. 그럼 금방 끝난다.”

“충성-!”

“이동.”

“이동!”

교육생들은 뜨거운 숨을 뱉어 내며 현장으로 향했고, 종혁은 이충호와 오창진, 조정근, 정다현을 차갑게 응시했다.

한편 그 시각.

오늘 하루 동안 무려 100미터나 물러난 시위대는 로봇처럼 서 있는 전경들을 찢어발길 듯 노려보며 주민들이 만들어 준 주먹밥을 잘근잘근 씹었다.

'잘못된 일임에도 귀를 닫고 멍멍 짖기나 하는 개새끼들.'

뿌드득 이가 절로 갈린다.

저런 정부의 개들 따위에게 속절없이 밀린 자신들의 모습에 분통이 터진다.

'빌어먹을. 우리도 사람만 많았으면!'

저들처럼 시간마다 교대를 하면서 체력을 비축할 수 있었을 것이다. 그럼 오늘처럼 속절없이 밀리진 않았을 것이다.

그런 생각이 드니 저들에 대한 반감이 더욱 커져만 간다.

"많이 있으니까 부족하면 말해요."

"의, 의원님!"

벌떡 일어나는 선두 시위대의 등을 두드리며 앉힌 홍익현은 걱정스런 표정을 지었다.

"다들 몸은 괜찮습니까? 후방으로 물러나는 게 어때요?"

오후에 전경들과 격렬하게 싸웠음에도 치료를 받자마자 다시 선두로 온 시위대.

"괜찮습니다! 전 여기가 좋습니다!"

"예. 저도 윽, 끄떡없습니다!"

홍익현의 눈에 안쓰러움이 번졌다.

그러나 그의 마음속의 눈은 그렇지 않았다.

"아니에요. 일단 뒷사람들에게 맡기고 물러나서 쉬어요. 저쪽에 있는 제 지인이 말하길 지금 교대할 이들이 중경의 순경 교육생이라더군요. 어차피 내일 아침까지는 지루한 대치가 이어지게 될 테니……."

"호오? 순경 교육생들 말입니까?"

순간 눈이 번뜩인 시위대 선두의 이들은 교대를 위해 부산을 떠는 전경들을 응시했고, 홍익현은 그런 시위대를 보며 흐뭇이 웃었다.

'그럼 다음 단계를 진행해 볼까?'

하야라는 강수에 열이 받은 박노형 대통령이 전진이라는 응수를 뒀으니 다시 자신의 차례였다. 박노형의 포석을 잡아먹을 돌을 둘 차례.

홍익현의 눈에 스산한 기광이 스쳤다.

6장. 당신들 말고

당신들 말고

“수고하시지 말입니다.”

“밀리지 마세요, 아저씨들.”

최전방에 서니 공기가 달라진다.

마치 공기가 적어진 느낌. 아니, 담배를 연신 피우고 뜨거운 수증기 가득한 공간에 들어갔을 때처럼 숨이 탁 틀어막힌다.

어쩌면 저 멀리서 이쪽을 노려보는 시위대들의 적개심 어린 눈빛 때문인지 모른다.

마치 맨몸으로 맹수들 앞에 던져진 느낌.

“과도한 긴장은 하지 마라. 그럴수록 더 빨리 피로해진다.”

교육생들의 등을 일일이 두드리며 정신을 일깨우는 종혁. 다른 교관들도 마찬가지다.

"시위대를 보지 마라. 전방 15도만 봐. 눈이 마주쳐서 좋을 거 없다."

"집중. 포커스. 잡담 나누지 마."

"숨을 깊게 쉬어! 시야를 넓게 봐."

"너희에겐 보호구와 방패와 무기가 있다. 안 죽어!"

'후욱! 훅!'

'씨발! 씨발! 너희가 여기 있어 봐!'

"명심해라. 너희들의 뒤엔 우리 교관들과 동기가 있다. 믿어라. 끌려가게 두지 않는다. 밀리게 두지 않는다."

움찔!

"……후우우."

'씨발. 그래, 우리에겐 방패와 무기가 있어! 후우우.'

교관들의 말처럼 안 죽는다. 다치지 않는다.

교육생들은 든든한 방패와 진압봉, 그리고 등에 닿는 교관들의 손길에 깊게 심호흡을 하며 표정을 풀었다.

그러자 그제야 시골 마을의 고즈넉한 풍경이 그들의 시야에 담긴다.

내려앉은 어둠을 헤치며 달려온 시원한 바람과 저 멀리 수풀에 숨어 노래하는 이름 모를 풀벌레들. 불빛에 이끌려 춤추는 하루살이들.

종혁은 딱딱하게 굳은 교육생들의 근육이 이완을 시작하자 고개를 끄덕였다.

'됐군.'

이제야 어떤 돌발 상황이 벌어져도 기량을 펼칠 수 있

는 상태가 됐다. 겉핥기로 배웠다고 해도 어느 정도 버틸 순 있을 터.

그럼 이쪽에서도 충분히 대응을 할 수가 있다.

퍽!

종혁은 한 교육생의 어깨를 강하게 두드렸다.

"과도한 긴장을 하지 말라고 했지, 긴장을 아예 풀라는 소린 안 했다. 교대하려면 아직 1시간은 남았다. 똥꼬에 힘줘라, 이 새끼들아. 쌀 것 같아도 힘줘."

"풉!"

지루한 대치가 1시간가량 이어지며 느슨하게 풀리던 교육생들은 다시 긴장의 끈을 쥐며 전방 15도를 주시했다.

그때였다.

"너흰 생각하지 마라. 생각은 우리가…… 음?"

우연히 시위대 방향을 본 종혁은 고개를 모로 기울였다.

'어째 거리가…….'

줄어든 것 같다. 대략 3미터가량. 시위대 사이에 있던 홍익현도 어느새 맨 앞에 모습을 드러내고 있다.

하지만 종혁은 거기에 더 신경을 쓰지 못했다.

시위대들 중 10명이 갑자기 몸을 일으켜 이쪽으로 다가왔기 때문이다.

"헉!"

방금 전까지 수고가 무색하게도 다시 딱딱하게 굳는 교

육생들.

"뭡니까. 오지 마세요. 괜히 도발하다가는 다칩니다."

"거참 너무하시네. 우리가 아무리 이렇게 됐다지만 너무하신 거 아니에요?"

양손을 허리에 얹은 여대생의 외침에 종혁은 눈을 가늘게 떴다.

"그래서 용건은요? 없으면 가세요. 그쪽 수작이 뭔지 아니까."

마음 흔들기다. 자신들이 적이 아니라 같은 사람임을 어필해 이쪽이 망설이게 하려는 수작.

"전방 15도 쳐다봐, 새끼들아! 귀 막아!"

"에휴. 벽이랑 이야기하고 말지. 오빠들도 많이 힘들겠어요. 안 그래요, 오빠들?"

움찔!

오빠, 그 마법의 단어에 교육생들이 당황한다.

'에라이.'

"오늘 저희 때문에 많이 힘드셨죠? 이것 좀 드시면서 하세요."

여대생이 주먹밥을 내민다.

그런데 그런 행동을 하는 건 여대생들뿐만이 아니다. 함께 온 다른 이들도 담배나 주먹밥을 내밀며 온정이 담긴 말을 건넨다.

"그래. 우리도 미안해. 하지만 어쩌겠어. 진짜 너 보면 내 동생 생각난다. 얘가 내 동생인데, 어때? 예쁘지?"

"부모님께 전화는 드렸어? 아, 한 대 피울래?"

움찔! 흠칫!

종혁은 한숨을 내쉬며 발을 내디뎠다.

'지랄한다. 지랄해.'

더 이상 가만히 지켜볼 수는 없었다.

"더 이상 알짱거리면……."

"아, 아니……."

흠칫!

종혁은 기겁하며 입을 연 교육생을 쳐다봤고, 그건 시위대도 마찬가지였다. 눈에 기광이 스친 시위대들은 입을 좌우로 찢으며 교육생들의 방패를 젖혔다.

"됐어!"

"헉?!"

방패가 젖혀지고 멱살이 잡힌 이충호들은 그제야 오늘 받은 따라가라는 지령이 무엇인지 알아차리곤 몸에 힘을 뺐다.

"잡아끌어!"

"우와아아아아!"

"씨발! 잡아!"

마치 이것을 기다렸다는 듯 몸을 일으켜 달려오는 시위대들과 끌려가는 교육생들의 향해 손을 뻗는 교관과 다른 교육생들.

'뭐지?'

지난 며칠 동안 저들에게 체벌을 가장해 진압 훈련을

가르쳤던 종혁이다. 저들의 신체 능력과 반사 신경이 어느 정도인지는 그 누구보다 종혁이 잘 알고 있었다.

이건 이상했다. 저들은 자신들을 우악스럽게 잡아끄는 손길에 저항할 생각조차 없어 보였다. 아니, 마치 스스로 뛰어드는 것처럼 보였다.

'설마……!'

무언가 머릿속을 스치는 생각에 종혁은 황급히 이충호와 오창진의 뒷목을 잡고 끌어당겼다. 그리고 몸을 앞으로 날리며 정다현과 조정근도 잡아당겼다.

하지만 그 반동 때문일까.

"헉!"

시위대 사이에 서게 된 종혁은 놀라 눈을 부릅뜨는 시위대의 두 명의 멱살을 잡아 땅바닥에 처박으며 이쪽을 향해 달려오는 홍익현을 향해 몸을 날렸다.

'너희 뜻대로 해 줄까 보냐!'

"이 개새끼야!"

뿌가악!

경악에 눈을 부릅뜬 얼굴이 뭉개지는 감촉과 함께 공중에서 360도 돌아가는 홍익현.

종혁은 순간 얼어붙은 시위대의 멱살을 잡아 안으로 밀치며 포효했다.

"다 덤벼, 이 개새끼들아-!"

"호, 홍 의원님-!"

"죽여!"

"우와아아아!"
"최, 최 교관-!"
새된 비명 소리가 등 뒤에서 울려 퍼졌다.

* * *

"……뭐?"
벌떡 몸을 일으킨 경기청장은 보고를 하러 온 이를 불신가득한 눈으로 응시했다.
"최, 최종혁 경정이 시위대에 잡혀갔다고 합니다……."
"이 개새끼들아! 너흰 그걸 지켜보고 있었어?!"
경기청장은 보고하러 온 이의 정강이를 걷어찼다.
"아악!"
최종혁이 누구던가.
킹메이커이다.
미래의 경기청장 그 자신을 보좌할 인재이다.
그뿐만이 아니라 이택문 경찰청장이 가장 신임하는 인재다.
임기가 얼마 안 남았어도 레임덕은커녕 경찰들의 지지율이 하늘에서 노는 이택문 경찰청장.
인천청장의 목도 날려 버렸는데 경기청장인 자신이라고 목이 무사할까.
'아니, 임기가 얼마 안 남았기에 더…….'
섬뜩!

"어떻게든 데려와-!"

경기청장은 부하 직원의 멱살을 잡으며 포효했다.

그 순간이었다.

따르릉! 따르릉!

맹렬히 울리는 핸드폰을 본 경기청장은 눈을 질끈 감았다. 발신자가 누군지 확인을 하지 않아도 알 것 같았기 때문이다.

한편 우봉분 교의 한 교실 안.

우정경 신부는 씩씩 거리는 시위대들의 중앙, 의자에 앉혀져 밧줄로 묶인 맹수를 보며 어이없어했다.

무려 20명이다.

고작 10분도 안 되어 20명을 맨손으로 때려눕히더니 갑자기 '가자'며 순순히 따라온, 아니 앞장서서 우봉 분교로 온 종혁.

우정경 신부는 점심 식사 후 햇볕에 늘어진 사람처럼 나른하게 웃고 있는 종혁을 향해 다가갔다.

"대책위원장인 우정경 신부입니다."

"아."

자세를 바로 한 종혁은 고개를 숙였다.

"중경에 잠시 지원을 나온 본청 간편신고관리과 특별수사 1팀 팀장 최종혁 경정입니다. 늦은 밤에 실례가 많습니다."

"……허허. 그렇습니까?"

우정경 신부는 수십 명의 시위대가 잡아먹을 듯 노려보고 있어도 표정 하나 변하지 않는 종혁의 모습에 낯빛을 굳혔다.

'이제 20대 중반으로 보이는데, 경정?'

그것도 본청 소속의 팀장.

군사정권 시절에 군부 장성을 배경으로 뒀어도 가능했을까 싶은 진급 속도다.

"말이 나온 김에 조금만 더 실례를 끼쳐도 되겠습니까? 곧 소식을 들을 홀어머니께 전화 한 통을 하고 싶어서 말입니다."

시위대는 그 뻔뻔한 모습에 눈을 부릅떴고, 종혁의 맑은 눈을 빤히 바라본 우정경 신부는 고개를 끄덕였다.

"그럽시다."

"신부님! 이자는……!"

"홀어머니라고 하잖아요."

"……제길!"

"하하. 역시 신부님이라서 자애가 넘치시는군요. 제 가슴팍 주머니에…… 어, 거기요. 거기. 단축번호 0번을 누르면 됩니다."

뚜르르! 뚜르르! 달칵!

–여보세요.

"예, 어머니. 제가 지금 어쩌다 보니 평택 시위대에 붙잡히게 됐습니다. 모르시면 안 찾아봐도 됩니다. 아무튼 별일 아니니까……."

—전화 잘못 거셨습니다. 저한테 아들 없어요.

뚝!

"……어머니? 엄마?"

울상이 된 종혁은 단축번호를 눌러 준 남성을 간절히 쳐다봤다.

"씨발."

뚜르르! 뚜르르!

—나가 죽어.

뚝!

"……하. 좆됐네."

사태가 마무리돼도 당분간 집에 들어가지 못할 듯싶다.

"저기요. 내 오른쪽 바지 주머니에 담배 있거든요? 그것 좀 줘 봐요. 아, 좀 줘 보라고요!"

"여, 여기……."

"불도 붙여 줘야 될 거 아닙니까! 거 센스가 없네, 센스가!"

찰칵! 치이익!

"하. 씨발, 어쩌지? 희야한테 애교 좀 떨라고 할까?"

우정경 신부와 시위대는 초조하게 발을 떠는 종혁을 복잡미묘하고 떨떠름한 눈으로 응시했다.

"지금 자신의 처지를 모르는 겁니까?"

"응? 알죠, 당연히."

"……그런데 무섭지 않은 겁니까?"

종혁은 우정경 신부를 보며 나른히 웃었다.

섬뜩!

"호랑이가 하룻강아지 무서워하는 거 봤습니까?"

하룻강아지가 아무리 모여 봤자 결국 하룻강아지다. 지금 당장이라도 여기 있는 인원 정도는 거뜬히 때려눕힐 수 있었다.

"이런 씨발!"

"이 개새끼가……!"

"그만! 그만!"

폭발하는 시위대를 말린 우정경 신부는 종혁을 뚫어지게 쳐다봤다. 그의 눈빛 깊은 곳에 간절함이 피어났다.

"최 팀장님, 죽을 수도 있습니다. 죽음이 무섭지 않습니까?"

종혁에게 당한 사람이 20명이다. 그중엔 홍익현 의원도 있다. 이 이상 도발을 하면 정말 큰일이 날 수 있었다.

신부로서 그런 일이 벌어지는 건 무조건 막아야 했다.

하지만…….

"성직자가 죽음을 쉽게 입에 담는다라……. 재밌네요."

"이봐요, 최 팀장님!"

"그럼 당신들 중 열 놈은 무조건 죽어."

"흑!"

우정경 신부뿐만 아니라 시위대도 다급히 종혁에게서 거리를 벌린다. 순간 심장을 쥐어짠 끔찍한 살의.

그들은 질린 눈으로 종혁을 바라보았고, 종혁은 다 피운 담배를 퉤 하고 뱉었다.

"어이, 한 대만 더 물려 주라."

"……일단 서로 흥분한 것 같으니 이따가 다시 대화하죠."

"개새끼. 넌 내가 꼭 죽인다."

"씨발 새끼. 카악, 퉤!"

종혁은 감시조 10명만 남기고 빠져나가는 그들을 보며 실실 웃다가 낯빛을 굳혔다.

'하, 나탈리아랑 린치가 판단을 잘못하면 안 되는데…….'

나탈리아라면 자신이 일부러 잡혔다는 건 능히 알아차릴 테지만, 허당에다 공명심이 많은 린치라면 오판을 할 수 있다.

'그렇게 되면 끝이지.'

헨리 스미스에게 알리지 않은 채 한국 정부를 압박하거나 미군을 움직일 수 있었다. 놈은 그러고도 남을 놈이다.

그러면 정말 다 죽는 거였다.

"이봐, 홍익현 의원은 좀 어때? 살 것 같아?"

움찔! 빠드득!

'나탈리아, 부탁합니다. 그 애송이 말려 줘요.'

종혁은 킬킬 웃으며 간절히 바랐다.

* * *

스륵.

분홍빛 혀가 새빨간 입술을 핥고, 그 눈이 고혹적으로 휜다.

"사랑스러운 사람."

어쩜 이렇게 사랑스러울까.

고정숙에게는 연락을 했지만, 자신에겐 연락을 하지 않은 점에서 나탈리아는 종혁의 생각과 의도를 파악할 수 있었다.

그래서 사랑스러울 수밖에 없다.

괴물인 그에게 이런 인간적인 면모가 있단 것에.

'고정숙 씨는 정말 복을 타고나셨네. 부러워. 나도 최 같은 자식을 낳으면 얼마나 좋을까?'

종혁처럼 듬직하고 능력 좋은 아들이 점점 커 가는 것을 지켜보는 기쁨을 자신도 느껴 보고 싶었다.

거기까지 생각한 나탈리아는 눈을 동그랗게 떴다.

"……나도 이제 나이가 든 걸까?"

이런 생각이 드는 것을 보면 이제 슬슬 은퇴해서 가정을 꾸려야 할 것 같기도 했다.

"그건 좀 싫은데……."

저벅저벅.

즐거운 상념을 깨는 구둣발 소리에 나탈리아의 눈이 차가워진다.

"러시아의 영광을 위해. 러시아와 연결이 됐습니다."

"……알았어."

몸을 일으킨 그녀는 보안실의 문 손잡이를 잡다가 아차 했다.

"CIA 애송이에게 연락해서 닥치고 있으라고 해. 최는 내 거니까 허튼짓하면 헨리에게 연락할 거라고."

"예."

고개를 끄덕이며 보안실로 들어간 그녀는 한쪽 벽을 커다랗게 채우는 스크린 속 메드베제프를 향해 거수경례를 했다.

"러시아의 영광을 위해!"

-최가 납치됐다고? 무도한 폭도들에게?

꽤 다급했는지 단정하게 넘긴 헤어스타일이 좀 흐트러져 있다.

나탈리아는 메드베제프도 종혁에게 진심이라는 것에 작게 안심했다.

"납치가 된 게 아니라 스스로 들어간 겁니다."

-……자세히.

안도의 한숨 내쉰 메드베제프는 나탈리아를 차갑게 노려봤고, 그녀는 전후 사정을 설명했다.

그걸 모두 들은 메드베제프는 헛웃음을 터트렸다.

-모두를 구하려는 건가.

"전 그렇게 판단하고 있습니다."

그래서 종혁이 연락을 안 한 거다.

-최는 정말 알 수 없는 인물이군.

냉철한 괴물이면서도 이상주의적 몽상가 기질이 있다.

서로 공존하기가 힘든 기질.

-하지만 최가 왜 경찰을 택했는지 알 것 같군. 후, 그런 인물이 우리 러시아의 경찰이 되어야 했을 텐데…….

그랬다면 러시아는 지금 내외로 보다 더 큰 발전을 이뤘을지 몰랐다.

-계속 주시하도록 해. 최는 우리 러시아의 보물이니까.

"러시아의 영광을 위해!"

-러시아의 영광을 위해.

스크린이 꺼지자 나탈리아는 눈치 좋게 홍차를 가져오는 부하를 응시했다.

"최가 요청한 교육생들의 보호자에 대한 감시는?"

"지금 막 완료됐다고 합니다."

"언제든 제거할 준비해. 그래야 다른 꼬리를 끄집어낼 테니까. 그리고 그 홍 뭐라는 의원과 연결된 그놈들도 언제든 확보할 준비 마쳐 놓고. 음, 아니야. 걔들은 껍질 벗겨서 최의 팀원들에게 던져 버려."

거수경례를 한 부하가 돌아서자 나탈리아는 찻잔을 입에 가져갔다.

호록!

'여긴 준비가 끝났답니다, 최.'

이젠 종혁의 차례였다.

그녀의 두 눈이 장난기를 가득 머금으며 호선을 그렸다.

* * *

"끄으응."

“의, 의원님! 정신이 드십니까!”

“어떻게…… 아악!”

홍익현은 마치 터져 버릴 것처럼 끔찍한 고통에 얼굴과 목을 감싸 쥐었다.

“괘, 괜찮으십니까?! 여, 여기 진통제입니다!”

정신없이 진통제를 씹어 삼킨 홍익현은 한참을 고통속에서 구른 후에야 겨우 정신을 차릴 수 있었다.

“어떻게…… 된 거야? 내가 왜 여기 누워 있고!”

우봉 분교의 양호실. 부상자들을 치료하기 위해 따로 만든 치료 공간이다.

“기억 안 나십니까?”

“기억?”

홍익현은 정신을 잃기 전을 떠올렸다.

‘웬 덩치 큰 놈이 달려든 것까진 기억이 나는데…….’

눈앞이 번쩍이더니 정신을 잃어버렸다.

그리고 깨어나니 아무도 없는 양호실의 침대 위다.

“……놈들은? 중경 교육생들은?!”

지금 정신을 잃은 게 문제가 아니다.

무조건 확보해야 했던 중경 교육생들.

나라에 종속된 전경도 아닌 반민간인 신분인 교육생들이다. 그들이 사로잡히면 박노형도 경찰 병력을 뒤로 물릴 수밖에 없을 터.

그게 박노형의 응수를 잡아먹을 홍익현의 노림수였다.

“음. 한 놈 사로잡긴 했는데…….”

"뭐? 고작?"

홍익현은 약간 실망했지만, 한 명이라도 어딘가.

"그래도 잘했군. 자네도 잘했어! 어디야!"

"일단…… 그게 음……. 안내하겠습니다."

홍익현의 얼굴을 본 보좌관은 몸을 돌렸고, 병상에서 내려온 홍익현은 콧노래를 부르며 뒤를 따르다가 양호실 문 옆 거울을 보곤 멈칫했다.

"뭐야, 이 미라는……."

움찔!

"……보좌관."

"예, 의원님."

"이거 설마 나냐?"

"죄, 죄송합니다!"

빠드득!

"그 새끼는. 내 얼굴을 이 꼴로 만든 그 개새끼는 어떻게 됐어?!"

"……시위대가 잡은 놈이 바로 그놈입니다."

"뭐?!"

홍익현은 다급히 보좌관을 봤다가 악 비명을 지르며 목을 잡았다.

"그놈밖에 못 잡았습니다. 죄송합니다, 의원님."

"크으윽!"

'빌어먹을! 다 알려 줬는데도 아무도 잡질 못하다니!'

"시위대나 정보를 넘겨준 그곳이나 다 병신들이 따로

없군! 이래서 믿고 일하겠어?!"

"……."

"뭐해! 안내해!"

"예, 의원님."

드르륵!

문을 열고 나가니 주위를 지나던 시위대들이 경악하며 쳐다본다.

"깨, 깨어나셨습니까, 의원님!"

"야! 다들! 홍 의원님 깨어나셨어!"

"뭐?!"

드르륵! 드르륵!

졸린 눈을 비비며 복도 교실문을 연 시위대들이 홍익현을 발견하곤 식겁하며 달려왔다.

"괘, 괜찮으십니까, 의원님!"

"여기 보세요. 몇 개로 보이세요?!"

"허허. 뭘 이 정도를 가지고 호들갑을 떱니까. 전 이제야 여러분들과 같은 고통을 나누게 되어 참 송구하기 그지없습니다. 이렇게 아플 줄 알았으면 첫날부터 여러분들과 선두에 설 걸 그랬어요."

"크흑! 의원님!"

"씨이! 홍-익-현!"

"홍익현! 홍익현!"

홍익현은 자신의 이름을 연호하는 시위대들을 흐뭇하게 바라보다 몸을 돌렸다. 자신의 얼굴을 이렇게 만든 놈을 한 대 후려치지 않고는 견딜 수가 없었다.

복도를 빠르게 걸은 홍익현은 보좌관이 열어 주는 문 안으로 들어갔다가 의자에 묶여 있는 종혁을 발견하곤 주먹을 꽉 쥐었다.

'이 개……!'

하지만 그는 끝내 몸을 날리지 못했다. 종혁의 곁에 시위대들과 우정경 신부가 있었기 때문이다.

여기서 함부로 주먹을 휘둘렀다가는 그동안 쌓은 이미지를 자기 손으로 부숴 버리는 것이었다.

그는 정수리를 때리는 분노를 겨우 누르며 종혁에게 다가가 애써 웃었다.

"허허. 당신인가 보군요."

"누구? 아, 설마 홍익현 의원님? 아이고, 죄송합니다. 제가 원래 눈이 돌면 잘 안 보이는지라……. 거기다 상황도 상황이었고……. 이거 사과드립니다."

'이 개새끼가!'

"허허. 아니에요. 저녁이고 흥분한 상황인데 그럴 수 있죠."

"예. 그러니까요. 뼈는 괜찮으시죠?"

"……허허허."

종혁도 마주 웃어 주었다.

"그, 그래서 교육생이라고요?"

애써 뱉어 낸 그의 말에 종혁은 고개를 모로 기울였다.

"누가요? 제가요?"

"예?"

우정경 신부가 한숨을 내쉬며 입을 열었다.

"본청 수사팀의 팀장이랍니다, 홍 의원님."

"옙! 본청 간편신고관리과 특별수사 1팀장 최종혁 경정입니다. 하하."

'본청? 팀장? 경정? 그런 말은 안 했잖아!'

괜히 망신을 당하게 만든 보좌관을 노려본 홍익현은 이를 악물었다.

일이 꼬였다.

반민간인인 교육생이 아니라 경찰이라면 저들 경찰 병력은 신경도 안 쓴 채 밀고 들어올 터.

다신 이번 같은 수작이 통하지 않을 테니 경찰 병력이 이곳 분교까지 치고 들어오는 건 시간문제였다.

'잠깐, 아니지?'

홍익현은 경정이란 계급에 주목했다.

그의 입가에 푸근한 미소가 맺혔다.

"이거 대단한 엘리트께서 험한 꼴을 겪게 되셨군요."

국회의원인 홍익현 자신이 밀어준다고 해도 불가능한 속도로 진급을 한 젊은 간부다. 감히 자신으로선 쳐다볼 수도 없는 배경이 있단 소리였다.

'5선 의원의 사생아인가?'

그쯤 되지 않으면 불가능한 일이었다.

"허허. 그분은 잘 계십니까?"

"그분? 예, 뭐 누군지 모르겠지만 제 주위 분들은 잘 계십니다."

"그래요, 그래. 좋군요. 담배 한 대 피우시겠습니까?"

'뭐하자는 수작이지?'

종혁은 눈을 가늘게 뜨면서도 고개를 끄덕였고, 홍익현은 손수 담배를 물려 주고 불을 붙여 주었다. 그리고 그 자신도 담배를 물었다.

"후우. 최 팀장은 현재 상황을 어떻게 생각하십니까. 이게 옳다고 생각하십니까?"

'흐음. 이거 약을 팔려는 것 같은데.'

정치인의 특기인 약 팔기.

하지만 종혁은 일단 들어 보기로 하며 맞장구를 쳐 줬다. 종혁 본인도 이 대화를 원했기 때문이다.

"솔직히 대통령께서 잘못하셨다고 생각합니다."

'옳거니!'

우정경 신부와 시위대들도 깜짝 놀라 종혁을 봤다.

그러나 종혁의 말은 아직 끝나지 않았다.

"하지만 당신들의 방법도 잘못됐습니다. 충분히 대화로도 풀 수 있는 일에 폭력이라는 수단을 동원한 순간, 당신들은 범죄자 그 이상도 그 이하도 아닙니다. 아니, 깡패들보다 더 악질이지."

"뭐? 깡패?!"

"이 자식이! 말이면 단 줄 알아?!"

"그럼? 죽창이라는 살인 무기를 만들어 놓고, 그걸 거리낌 없이 찔러 놓고도 깡패보다 악질이 아니라고? 깡패

새끼들은 최소한 경찰에게 칼질은 안 해, 이 새끼들아. 왜? 그럼 지들이 죽는 걸 아니까!"

"우린……!"

"어차피 찔러서 부상자가 발생해 봤자 제대로 처벌을 받지 않을 걸 알고 그러는 거잖아. 안 그래? 시위 전문이니까 이런 거 잘 알지?"

난전에선 누가 찔렀는지 모르기에 처벌을 내리기가 힘들어진다.

혹여 그 죽창에 경찰이 죽는다고 해도 이들 중 5년 넘는 형량을 받을 사람이 있을까. 증거물인 죽창을 불에 던져 증거 인멸을 하면 길어야 3년이다.

"그마저도 니들이 풀어 달라고 시위하면 형량이 줄어들겠지. 이러고도 너희가 깡패보다 악질이 아니라고? 차라리 손바닥으로 하늘을 가려, 시발 애새끼들아!"

"……."

"왜?! 우리 경찰이 너희의 그 좆같은 생각을 모를 줄 알았냐?! 뭐해! 방금처럼 씨불여 봐! 너희 때문에 순직한 경찰의 유족 앞에서! 2년 후면 부모님 품으로 돌아가야 될 전경들의 영정 사진 앞에서 씨불여 보라고! 우리라고 좋아서 너희를 막아 세우는지 알아-?!"

"자자, 진정합시다."

홍익현은 자신의 예상대로 흘러가는 흐름에 속으로 웃으며 입을 열었다.

"그래요. 최 팀장의 말처럼 우리가 폭력을 동원한 건

분명 잘못한 일입니다.”
“의원님!”
시위대는 진한 배신감에 휩싸였지만, 그걸 무시한 홍익현은 종혁의 손을 꼭 잡으며 호소했다.
“그러니 우리가 더 이상 폭력을 동원하지 않도록, 평화적으로 이번 일을 해결할 수 있게 최 팀장이 도와주셨으면 좋겠습니다. 우리라고 나라에 끌려온 전경들에게 폭력을 쓰고 싶겠습니까.”
‘약 파는 거 맞네.’
“……어떻게요?”
“영상을 찍읍시다.”
“영상? 아, 설마 제가 당신들의 요구를 낭독하는 그런 영상 말입니까? 에이, 그건 선을 넘는 거죠.”
어딘가를 연상시키는 방법이기에 정말 선을 넘는 거다.
“한 방울의 피라도 덜 흘리기 위한 일입니다. 그를 위해선 이 홍익현, 기꺼이 악마라도 될 수 있습니다. 그러니 부디 협조해 주십시오. 이렇게 부탁합니다, 최종혁 경정님!”
‘그래야 네놈의 배경이 대통령을 압박하겠지!’
종혁은 속으로 헛웃음을 터트렸다.
지금 홍익현은 경정이라는 단어로 시민을 보호해야 할 의무가 있는 경찰의 양심을 찔러 버린 것이다.
하지만…….

'고맙네. 먼저 이야기를 꺼내 줘서.'

참 너무도 고마웠다. 이렇게 알기 쉬운 부류라서.

"으음."

종혁이 고민에 휩싸이자 시위대는 긴장을 하며 그를 쳐다봤다. 그 시선에 종혁은 결국 한숨을 푹 내쉬었다.

"후, 알겠습니다. 찍죠. 대신!"

환호를 터트리려던 시위대는 다시 종혁을 봤다.

"그런 방식은 모양새가 좋지 않으니, 차라리 대담 형식으로 가시죠."

"오……! 그런 수가!"

이쪽에 사망자가 생기는 것보다 더 좋은 수였다.

종혁이 경찰 측 대표는 아니지만, 그래도 경찰이기에 대통령으로선 큰 압박이 될 터. 종혁의 배경 때문이라도 더욱 그럴 것이다.

그런 이 대화 테이블을 홍익현 자신이 만들어 냈다?

전국적으로 인기몰이를 할 수 있었다. 그렇다면 어느 지역구를 가도 당선된 확률이 높아질 터.

'불의에 맞선 평화의 상징 홍익현!'

그의 머릿속에 다음 선거 때 홍보할 문구가 절로 떠올랐다.

홍익현은 순간 몸이 달아올랐다.

"알겠습니다! 뭣들 합니까! 어서 세팅해 주세요!"

"아? 네, 네!"

꼬리에 불붙은 멧돼지처럼 이리저리 날뛴 그들은 빠르

게 세팅을 했고, 밧줄이 풀린 종혁은 굳은 팔을 이리저리 풀다가 맞은편에 앉아 실실 웃는 홍익현을 보며 고개를 모로 기울였다.

“음? 홍 의원님이 왜 거기에 앉으십니까?”

“허허. 최 팀장이 아직 젊어서 잘 모르시나 본데, 원래 이런 건 저 같은 사람과…….”

“거 말 희한하게 하시네. 누가 당신하고 이야기한데요?”

“예?”

“당신, 아니 당신들 말고 주민분들 데려오세요.”

“……예?

“못 들었습니까? 우봉리 주민이 아닌 부외자는 꺼지시라고.”

종혁은 경멸을 담아 홍익현을 노려봤다.

그가 할 일은 이제 다 끝났다.

‘아니, 아직 하나 남았네.’

가장 중요한 게 남아 있었다.

* * *

‘제길!’

상부에서 내려진 지령을 실패했다.

벌써 두 번째 실패.

어떤 문책이 따를지 감조차 잡을 수가 없다.

하지만 그보다 알 수 없는 건 바로 자신들이 잡혀가자 망설임 없이 시위대를 향해 뛰어든 종혁의 행동이었다.

'대체 왜?'

희생이란 단어를 배우지 못한 이충호는 혼란에 휩싸여 동료들을 돌아봤다.

그들도 복잡한 표정을 짓고 있었다.

그 순간이었다.

빠아악!

헬멧을 강타하는 작은 발의 드롭킥.

"컥?!"

"또 한눈팔지, 개새끼야! 넌 씨발 뒤졌어!"

눈이 뒤집힌 임세라는 파운딩에 들어갔고, 그녀의 동기는 그녀의 허리를 낚아채 뒤로 빠졌다.

"놔! 놔아! 저 새끼들 때문에 종혁이가……!"

"알아. 아는데 일단 빠져."

그들이 물러서자 교육생들이 다급히 방패를 들며 이충호가 뚫리면서 생긴 구멍을 메운다.

"일어나."

"다현아."

"뭔 말인지 아니까 일어나라고."

일단 살아야 한다. 눈이 돌아 버린 저 50여 명의 괴물들에게서 말이다. 종혁이 잡혀갔다는 소식을 듣자마자 달려온 경찰대 48기들.

이렇게 시달린 지 벌써 3시간째다. 다리는 이미 힘이

풀렸고, 하늘은 노랬다.
"여어. 얘들이냐?"
"어, 왔냐? 씨발, 얼굴 보기 힘들다?"
"바쁜 거 알잖아. 비켜 봐. 일단 저 새끼들부터 죽이게."
"그냥 때리면 폭력이고."
뒤늦게 도착한 동기를 진정시킨 사내는 스크럼을 짠 채 공포에 질려 있는 교육생들을 향해 이를 드러냈다.
"또 뚫리면 너흰 진짜 씨발 죽는 거다. 몸에 힘줘, 개새끼들아."
교육생들은 이를 악물며 서로의 몸을 밀착했고, 경찰대 48기들은 먹잇감을 덮치는 늑대들처럼 그들을 향해 달려들었다.
그 순간이었다.
삐익! 삑!
호각 소리와 함께 이쪽을 향해 걸어오는 임성원 교수.
"그쯤 해둬라, 이 똥강아지들아."
종혁의 동기들은 다급히 차렷 자세를 취하며 거수경례를 했다.
"차렷! 교수님께 경례!"
"충성!"
"충성. 그쯤 해 둬. 몸에 힘 빼지 마."
"하지만 교수님!"
"곧 진격 작전이 시작될 텐데 무기 수령 안 하려고?"

작전 시간은 12시 정각. 곧 도착할 병력까지 합하여 약 만여 명의 경찰 병력이 우봉 분교까지 시위대를 밀어붙이고 종혁을 넘겨받는다.

움찔!

눈을 크게 뜬 경찰대 48기들은 사납게 웃으며 교육생들을 훑어봤다.

"운 좋네."

"종혁이 구하고 다시 이야기하자. 지금처럼 밍숭맹숭하게가 아니라 찐하게."

그들은 미련 없이 돌아섰고, 일방적인 폭력에 가까운 체벌에서 벗어난 교육생들은 그 자리에서 무너졌다.

임성원 교수는 그런 그들을 일견하며 시위대들을 보았다.

찰칵! 치이익!

"하필 잡아가도 종혁이를 잡아가나."

최기룡 전 경찰청장부터 최씨 문중, 행복의 쉼터 재단 권회수 이사장 등이 본청에 항의를 했고, 러시아 대사관과 미국 대사관, 그리고 경찰대와 교류한 각국의 대사관에서 청와대로 전화를 넣었다.

"종혁이만 아니었다면 일말의 가능성이라도 있었을 텐데……."

일이 너무 커지고 말았다.

그들이 종혁을 넘겨준다고 한들, 우봉리 주민들에게 다음은 없었다.

"부디 사망자가 발생하지 않기를."

한숨을 뱉은 임성원 교수는 담배를 던지며 돌아서다가 누군가를 발견하고 눈을 동그랗게 떴다.

"저들은?"

한편 이런 사실을 모르는 새벽 6시의 우봉 분교. 졸린 눈을 비비며 일어난 우봉리 주민 대표들이 한 교실로 모인다.

의문과 경계가 서려 있는 그들의 면면을 본 종혁은 잠시 눈을 감았다.

농사일에 검게 타 버린 피부와 굵고 선명한 주름들. 웃는다면 세상 걱정 없을 것 같은 순박한 삶의 흔적에 종혁의 가슴이 아려진다.

이제야 만나게 된 진짜 피해자들의 움츠린 어깨가 심장을 깊숙이 찌른다.

종혁은 몸을 일으켜 정중히 허리를 숙였다.

"이제야 만나 뵙게 되어 죄송합니다. 대한민국 경찰청 간편신고관리과 특별수사 1팀의 최종혁 경정입니다. 잠시 지원을 나왔던 저는 어젯밤 이렇게 붙들리게 되었고, 지금은 여러분들의 목소리를 듣고자 이런 자리를 마련하게 되었습니다."

"모, 목소리 말이오?"

"우, 우리들의 요구를 들어주겠다는 겁니까?"

주민들의 얼굴에서 잠이 달아나자 종혁은 고개를 저었다.

"전 위에 여러분의 목소리를 전달할 수만 있을 뿐, 여러분들의 요구를 들어줄 권한은 없습니다."

"아……."

주민들의 얼굴에 실망감이 번진다.

"그럼 왜……."

"그래요. 그럴 권한도 없는데 왜 힘든 어르신들을 이 꼭두새벽부터 괴롭히는 겁니까."

이러다 자신의 활약이 사라질 걸 우려한 홍익현 의원이 다급히 나선다.

그런 그의 마음을 짐작조차 못하는 주민들의 얼굴이 밝아졌다.

아무것도 모르는 자신들보단 많이 배운 홍익현이 더 조리 있게 말해 줄 터. 그동안 아무리 외쳤지만 들어주지 않은 건 결국 자신들이 조리 있게 말하지 못했기 때문이었다.

그렇기에 자신들을 불쌍히 여긴 고마운 사람들이 이렇게 찾아왔고, 결국 국회의원이라는 감히 쳐다볼 수 없는 대단한 사람까지 찾아와 자신들의 손을 잡아 주고 이야기를 들어 주었다.

그런데 여기서 자신들이 나선다는 건 이들의 수고를 땅바닥에 팽개치는 행위. 지금까지처럼 홍익현이 대변해 주면 되었다.

그게 일말의 가능성이라도 있기에 어쩔 수 없더라도 그게 옳았다.

주민들은 체념과 기대가 어린 눈으로 홍익현을 응원했다.

"부탁드리겠습니다, 의원님."

"허허. 걱정 마세요. 여러분들께서 원하시는 결과를 어떻게든 얻어 낼 테니!"

홍익현은 의기양양한 표정을 지으며 의자에 앉았다.

"자, 그럼 나와 이야기……."

"닥쳐요."

"뭐, 뭐라고? 최 팀장! 아까부터 계속……!"

"닥치라고, 이 개새끼야."

순간 교실이 침묵에 휩싸인다.

종혁은 홍익현을 씹어 먹듯 말을 뱉었다.

"내가 지금 피해자들에게 말하고 있잖아. 뒤늦게 슬그머니 찾아와 피해자처럼 구는 너희 부외자가 아니라 진짜 피해자들에게!"

'낄 데 좀 끼자, 씨발아. 그렇게 발악하지 않아도 죽여 줄 테니까!'

얼어붙은 홍익현과 시위대를 일견한 종혁은 다시 주민들을 응시했다.

"부디 앉아 주십시오. 피해를 당한 당사자가 말하지 않으면 세상 그 누구도 들어 주지 않는 법입니다, 어르신들!"

진짜 피해자.

종혁의 굳센 시선을 받은 주민들의 눈이 크게 흔들렸다.

(회귀 경찰의 리셋 라이프 14권에서 계속)